W9-AAZ-651

Екатерина **Вильмонт**

Екатерина **Вильмонт**

АСТ • Астрель
Москва
ВКТ
Владимир

УДК 821.161.1
ББК 84 (2Рос=Рус)6
В46

Подписано в печать 13.11.09 г. Формат 84х108/32. Усл. печ. л. 11,97.
С.: Совр. жен. Тираж 80 000 экз. Заказ № 1474и.

Общероссийский классификатор продукции ОК-005-93,
том 2; 953000 – книги, брошюры

Санитарно-эпидемиологическое заключение
№ 77.99.60.953.Д.012280.10.09 от 20.10.2009 г.

Оформление обложки дизайн-студия *«Графит»*

Вильмонт, Е.Н.

В46 Мимолетности, или Подумаешь, бином Ньютона! / Екатерина Вильмонт. – М.: Астрель: АСТ; Владимир: ВКТ, 2010. – 286, [2] с.

ISBN 978-5-17-064000-3 (АСТ) (Совр. жен.)
ISBN 978-5-271-26241-8 (Астрель)
ISBN 978-5-226-01896-1 (ВКТ)

Совершив своего рода «подвиг любви», героиня романа Фаина решает начать новую жизнь в другой стране и как будто у нее все складывается удачно, однако встреча с бродячим котом все расставляет по своим местам, и она возвращается в Москву, на прежнюю работу. Но не зря же говорят, что нельзя дважды войти в одну и ту же воду... И разве можно жить без любви? Но разобраться, где настоящая любовь, а где «мимолетность», не так-то просто...

УДК 821.161.1
ББК 84 (2Рос=Рус)6

Часть
первая
Что было...

В Риме на лестнице площади Испании сидел совершенно счастливый человек. По крайней мере мне так показалось. Об этом свидетельствовала даже его поза. И выражение лица. Ему было лет сорок. И он с детским упоением лизал шоколадное мороженое из огромного вафельного рожка. Мне нравилось наблюдать за ним. Я вообще в последнее время полюбила это занятие — наблюдать за незнакомыми людьми и придумывать им историю. А этот был еще очень красив. Он, конечно, не итальянец. Скорее всего, скандинав. Светло-каштановые волосы, светлые глаза, то ли голубые, то ли зеленые, не разглядишь. Ботинки на нем явно очень дорогие. И часы. За годы работы в глянцевом журнале я научилась распознавать такие вещи. Интересно, чему он так радуется? Обручального кольца нет. Хотя это ничего не значит. А может, как раз этому он и радуется? Может, развелся, освободился? Если он был женат на итальянке, то развод дался ему ох как нелегко... А я? К чему привела меня маниакальная идея замужества? С любимым не вышло, так хоть с кем... Мне вдруг стало страшно. Через две недели свадьба... И платье сшито... Верх изысканности — тончайший шелк цвета слоновой кости с брюссельскими кружевами... И свадебное путешествие заказано. На Мальдивские острова. Идея не моя. Но Серджио обожает дайвинг и рыбацкие приключения. А что мне-то там делать? Но я молчу. Мне в общем как-то все равно. Мальдивы так Мальдивы.

Я продолжала наблюдать за скандинавом. Громадная порция мороженого таяла, а он чересчур медленно и вальяжно его ел. Вот тормоз! Горячий скандинавский парень! Да сейчас мороженое потечет на дорогие светлые брюки. И точно!

— Ах мать вашу! — воскликнул он на чистейшем русском языке.

На брючине расползалось большое шоколадное пятно. Он вскочил в растерянности, ловко зашвырнул мороженое в довольно далеко стоящую урну. Полез в карман за носовым платком...

Я вытащила из сумки пакетик с пятновыводящими салфетками.

— Вот, возьмите. Это ототрет пятно.

Он взглянул на меня с удивлением.

— Это пятновыводитель?

— Да. Только не тормозите, оттирайте скорее.

— Спасибо. Вы русская? А я решил, что вы типичная итальянка... И очень красивая.

А мне-то казалось, что он меня и не заметил.

— С ума сойти, кажется и вправду отходит...

— Возьмите еще одну. Эта уже грязная.

— Спасибо, вы просто чудо. Спасительница. У меня через полтора часа переговоры, а гостиница далеко. Я бы не успел. Хотел уж бежать покупать новые брюки.

— Все в порядке. Теперь надо высушить пятно.

— Да тут на солнышке в миг высохнет. Чем я могу отблагодарить вас?

— Не о чем говорить. И вот, возьмите эту пачку. У меня еще есть.

— Ну, уж тогда я буду в неоплатном долгу.

— Пусть это будет ваш самый большой долг в жизни, — засмеялась я.

— Ненавижу быть должным. Долг даже в десять рублей меня напрягает.

— Хорошо, тогда в отплату этого непомерного долга скажите, почему у вас был такой невероятно счастливый вид? У вас случилось что-то хорошее? Поделитесь.

— Да нет... Ничего такого... Просто Рим, площадь Испании, потрясное мороженое, солнышко...

— Только и всего? А я решила, что вы... Впрочем, неважно.

— Нет уж, договаривайте. Что вы там насчет меня решили?

— У меня было два варианта. Либо вы здорово и счастливо влюблены...

— Либо наоборот, только что развелся?

— Именно!

— Увы, ни то ни другое. Просто я умею наслаждаться моментом. Мне было хорошо. Я ответил на ваш вопрос?

— Пожалуй.

— А что вы делаете сегодня вечером?

— Сегодня вечером... Я занята.

— Ну что ж, не смею настаивать. Но мне жаль. Скажите, прекрасная незнакомка, как вас зовут. Хотя сперва следует мне представиться. Гунар Лиепиньш.

— Вы латыш?

— На одну четверть.

— А меня зовут Фаина.

— Фаина? Какое редкое имя... Кажется, никогда не знал ни одной Фаины, кроме разве что Раневской.

Я развела руками и улыбнулась. Я все-таки почти угадала. Хоть и не скандинав, но прибалт, что в принципе почти одно и то же. Словом, викинг.

— А завтра, примерно в это время, вы свободны?

— Увы, нет.

— Ну что ж, тогда прощайте, прекрасная незнакомка. Нет, не так! До свидания, прекрасная Фаина.

— Удачи на переговорах, Гунар!

Я повернулась и пошла прочь. Почему я не захотела встретиться с ним еще разок? Испугалась? Наверное. Ни к чему мне сейчас заводить какие-то новые отношения. Я чувствовала, что понравилась ему... А он мне, кстати, не очень... слишком красивый.

Мои родители расстались, когда мне было десять лет. Поначалу я страшно горевала, но, повзрослев, поняла, что только чудом они продержались вместе столько лет. Как там у Пушкина: «Они сошлись. Вода и камень, стихи и проза, лед и пламень...» В отце бушевала смесь разных кровей — итальянской, еврейской, польской и русской. В маминых жилах текла смесь русской и финской. Мама во всем и всегда стремилась к порядку. Она просто не могла жить, если что-то было не сделано, не улажено, не соответствовало ее представлениям о пресловутом порядке. А отец был человек стихийный. Ему этот порядок претил, он вечно дразнил маму «Фрау Орднунг». Словом, они расстались. И я помню, когда отец забрал из дому свои вещи, мама вдруг тяжело вздохнула. Но это был вздох облегчения. Наконец-то в доме воцарится порядок! И он воцарился. Но я затосковала. И с нетерпением ждала воскресений, когда отец забирал меня и мы с ним шли «нарушать порядок»! Это было так весело! Он вел меня куда-нибудь, куда мама ни за что бы меня не пустила. Например, в Парк культуры на аттракционы. А потом в боулинг, тогда это называлось «кегельбан», где пили пиво, курили и вообще была совсем не детская атмосфера. Тем более, что там стояли чуть ли не первые в Москве игровые автоматы. Папа катал шары, а я играла на автоматах. Потом мы шли в какой-нибудь ресторан в творческих клубах Москвы. В Дом кино или Дом литераторов или Дом архитектора или ВТО. Отец был модным фотографом. Разумеется, маме я не рассказывала о наших похождениях. Я говорила, что мы были в цирке или в театре или в зоопарке.

— Не надо маме все рассказывать, она огорчится, — предупреждал отец.

— Папа, но ты же сам сколько раз говорил — врать нехорошо.

— Врать плохо, а вот умолчать иной раз просто полезно для здоровья.

— Для маминого здоровья? — уточняла я.

— Для всеобщего здоровья, — смеялся папа.

Так прошло три года. Я взрослела. Мама вышла замуж. Ее новый муж казался мне самым скучным человеком во всем свете. Но зато он тоже любил порядок. Помню, я говорила своей закадычной подружке Татке:

— Не понимаю, как она может... После папы... От этого ее Валечки такой тоской веет, он такой правильный, скучный, я, как его вижу, зевать начинаю! Жуть с ружьем!

— Нет, похоже, именно без ружья! — предположила Татка.

Мы ржали.

За мной начали бегать парни. И я влюбилась. В десятиклассника. Он тоже не остался равнодушен. И однажды, провожая меня после кино, решился наконец меня поцеловать. Я давно этого ждала. И мы стали целоваться как ненормальные. За этим упоительным занятием нас и застал мамин муж Валентин Валентинович.

— Фаина! Ступай немедленно домой! Мне надо поговорить с этим юношей.

— Не надо вам с ним говорить! — возмутилась я. — Вы мне никто! У меня есть отец, и если надо, то он с ним сам поговорит.

У отчима покраснели уши и кончик носа. Он возмущенно запыхтел, но все-таки схватил меня за руку и поволок в квартиру.

— Не смейте ее трогать! — заорал Сенька.

— Уйди, мерзавец!

— Он не мерзавец! — завопила я. — И отпустите меня!

На наши вопли выскочила мама.

— Что тут происходит?

— Леля, твоя дочь совсем потеряла стыд!

— Сенька, уходи! — шепнула я. — Сама разберусь!

Когда мы наконец вошли в квартиру, мама ледяным тоном спросила:

— Что случилось, Валя?

Если бы она спросила об этом у меня, все могло бы сложиться иначе. Но она спросила у него.

— Леля, твоя дочь ведет себя неприлично. Обжимается со взрослыми парнями. И это только видимая часть айсберга. Я убежден, что она уже живет с мужчинами. Посмотри, какой у нее вид! Малолетней проститутки! Это все влияние ее папаши! Я предупреждал, что ребенка надо от него изолировать! Но теперь уже поздно.

Всю эту ахинею он произносил как-то монотонно, то есть не сгоряча. Я в ужасе смотрела на маму. Неужто она не возьмет мою сторону? Не пошлет его куда подальше, не влепит пощечину за оскорбление ее единственной дочери?

Ничего этого она не сделала. Только положила руку ему на плечо и прошептала:

— Успокойся, Валечка!

А мне бросила:

— Ступай в свою комнату!

Я кинулась к себе, попихала какие-то вещички в спортивную сумку и тихонько проскользнула в прихожую. Приоткрыла входную дверь, шмыгнула на лестницу и была такова.

Увидев меня в полдвенадцатого ночи на пороге своей квартиры, отец опешил:

— Бамбина, что стряслось?

Почему он вдруг назвал меня бамбиной?

— Папочка, я не могу больше так жить! Я теперь буду жить с тобой! Этот тип...

— Погоди, не с порога. Войди, закрой дверь. Вот так. Ну, что там случилось? Кто обидел мою дочку?

Я все ему рассказала.

— Понятно. Ну, рыдать не стоит. А скажи мне честно, что у тебя с этим Сенькой?

— Да ничего, мы просто целовались, и то в первый раз.

— Это правда или ты о чем-то умалчиваешь?

— Нет, папочка, честное-пречестное слово!

— Ладно, переночуешь у меня. А завтра все утрясется.

— Нет, я там жить не буду! Разве можно жить в одной квартире с... хладнокровными? Мы с тобой теплокровные, а они...

Отец расхохотался, поцеловал меня в нос.

— Ты есть хочешь?

— Хочу! Очень!

— Ладно, пошли на кухню, заодно и поговорим.

Отец ловко и быстро поджарил мне кусок мяса, которое, несмотря на дефицит всего в стране, не переводилось в его холодильнике. Это было так вкусно!

— Вот что, бамбина...

— Пап, с чего это ты вдруг стал звать меня бамбиной?

— Видишь ли, моя дорогая, я в скором времени уеду...

— Куда?

— В Италию.

— Вот здорово! Надолго?

— Ну... в общем... навсегда, наверное.

Я похолодела.

— Как навсегда? А я? Как же я?

— А ты сможешь приезжать ко мне, и я тоже непременно буду приезжать. Я ведь не эмигрирую, я женюсь. А при таком раскладе это будет возможно, я узнавал. Поди плохо — на каникулы ездить в Италию.

Я разревелась. Мне было так горько, так больно, казалось, я не переживу такого предательства.

Я схватила сумку и бросилась к двери. Отец меня поймал.

— Куда это ты, бамбина, собралась среди ночи?

— Неважно! Куда глаза глядят! А лучше всего просто замерзну. Там мороз...

— Что ты несешь, дурища!

— А зачем мне жить, если в один день и отец и мать меня предали! — вопила я.

— А ну замолчи! — и он плеснул мне в лицо холодной водой, — рано тебе еще, милая моя, истерики закатывать, носом не вышла! Соплячка! Предали ее! Дура, — кипятился отец. Я никогда его таким не видела. — Ты что, считаешь себя центром вселенной? Думаешь, ты вправе распоряжаться чужими жизнями? Подумаешь, мамин муж тебе замечание сделал! А родной отец решил жениться... Такое бывает! Ты скажи спасибо, что у тебя и отец и мать живы и заботятся о тебе...

— Какая трогательная забота! Ты живи, Фаина, с этими земноводными, а я себе в Италии буду жить.

В этот момент раздался звонок в дверь.

— Невеста твоя приперлась?

— Нет. Она в Италии. Скорее всего, это мама.

Звонок повторился.

— Не открывай!

— Еще чего!

Это и в самом деле была мама.

— Виталий, она у тебя?

— Да, куда ж ей еще идти... Заходи.

— Фаина, не прячься! Что в самом деле случилось? Чего ты взбеленилась?

— А ты не понимаешь? Твой эсэсовец лезет в мою личную жизнь! А ты его поощряешь! Ты вообще готова перед ним на задних лапках плясать, потому что он, видите ли, тоже любит порядок! Орднунг юбер аллес![1]

Отец легонько усмехнулся.

— Прекрати глупости! — поморщилась мама. — Люди разные бывают, и, поверь, любовь к порядку не такое уж дурное качество.

— Если эта любовь не маниакальная! — крикнула я.

— Леля, это даже хорошо, что ты приехала, надо поговорить.

— О чем говорить среди ночи! Мне с утра на работу.

— Ну что ж, вольному воля. Но в таком случае Фаина останется у меня.

— Об этом не может быть и речи. Ты плохо на нее влияешь.

— Я останусь у папы!

— С какой стати? Тебе утром в школу! А ты уроки не сделала. Таскалась с этим парнем! О чем вообще ты думаешь? О чем угодно, кроме учебы... Короче, бери сумку и поехали домой.

— Леля, я обещаю тебе утром отвезти Фаину в школу.

---

[1] Порядок превыше всего! (*нем.*).

— Нет. Нельзя создавать прецедент. Она теперь, чуть что не по ней, будет бегать к тебе, а это неправильно. К тому же я не знаю, на что она может тут наткнуться... Это не лучший пример для девочки в ее возрасте.

— На что бы я тут ни наткнулась, это будет нормальнее, чем этот твой... рыбец.

Отец фыркнул.

— Фаина, или ты сию минуту едешь со мной, или...

— Или что? — вдруг разозлился отец.

Мама вдруг испугалась. Махнула рукой.

— Ладно, но утром ты привезешь ее в школу.

Она ушла.

— Папочка, спасибо.

— Да, дочь, задала ты мне задачку.

— Какую задачку? Утром сбагришь меня в школу, а сам упорхнешь в свою Италию. И даже не вспомнишь обо мне.

— Ну ты и дура! Думаешь, это так просто — упорхнуть в Италию? Боюсь, на это уйдет около года.

— Да? — обрадовалась я.

— Да. И до отъезда ты будешь жить здесь.

— Ура!

— Но у меня будут некоторые условия.

— Что угодно!

— Ладно, с этим мы разберемся! А сейчас спать!

Квартира у него была двухкомнатная. Он постелил мне в большой комнате на диване.

— Папочка, спасибо тебе! Но что будет дальше, когда ты все-таки уедешь?

Он посмотрел мне в глаза, погладил по голове, поцеловал в нос.

— Я что-нибудь придумаю. Но предупреждаю — взять тебя с собой в Италию не удастся. Не та у нас страна. Так что об этом не мечтай. Но и не бойся, я не отдам тебя на съедение маминому рыбцу. Кстати, хочу заметить, ему кликуха «рыбец» не подходит. Ты небось думала, что рыбец мужское название рыбы?

— Да, а что?

— Рыбец — это такая вкусная копченая рыбка... Ох, слюнки потекли. Пусть лучше он у нас будет... судак.

— Но судак тоже вкусный!

— Да? Ну что ж, пусть он будет... Медуз.

— Папа, это гениально! Он же медик, врач по УЗИ.

Так с тех пор маминого мужа мы между собой иначе как Медузом не звали.

А вскоре выяснилось, что мама беременна. Этот факт в значительной степени способствовал тому, что мама не очень возражала против моего переселения к отцу, а Медуз так и вовсе был рад без ума.

— Папа, — спросила я однажды вечером, когда мы с ним пили чай с печеньем, которое я сама испекла по рецепту папиной сестры тети Сони. — А как ты мог жениться на маме? Вы же такие разные!

— А это был брак по страсти! Я влюбился в свою противоположность. Она была такая красивая, спокойная, мне казалось, она сумеет как-то повлиять на мою сумасбродную жизнь... Одним словом, запомни, дочка: жениться надо не по страстной любви...

— А как? По расчету? — закричала я.

— Видишь ли, в твоем возрасте этого еще нельзя понять...

— А ты попробуй объяснить.

— Хорошо, попытаюсь. Вот, допустим, встретились два человека и влюбились до безумия. Бывает так? Сплошь и рядом. И, движимые этой безумной влюбленностью, женятся. Не взирая ни на что и ни на кого. Негде жить? А как же рай в шалаше? Не на что жить? Ничего, как-нибудь! И все в таком роде, главное, чтобы любимый человек, верх всех совершенств, был рядом. А потом неустроенный быт, отсутствие денег, несовпадение вкусов, раздражающие привычки... Короче, в браке по любви открываются недостатки. Усекаешь?

— Допустим, — фыркнула я. Мне казалось, что главное — это любовь.

— А вот когда женятся по расчету, только не думай, что расчет — это вопрос денег. Отнюдь. Так вот, когда по расчету, без слепой любви, с открытыми глазами, в браке открываются достоинства друг друга... И зачастую это приводит к любви, настоящей, куда более долговечной, чем брак по страсти.

— А ты на своей Карлотте женишься по расчету?

— В известной мере да. И она за меня выходит тоже в некотором смысле по расчету.

— Тогда я не понимаю.

— Чего?

— Какой у тебя расчет, в общем-то ясно. Ты уезжаешь в свободную страну. Это раз. Она, кажется, небедная... Это два. А ей-то что за радость?

Отец улыбнулся, щелкнул меня по носу.

— А она меня любит. И еще верит в меня. И в то, что спасает меня от советской власти...

— То есть она выходит за тебя по любви, а ты женишься по расчету?

— Тупой максимализм юности. Я тоже люблю ее. Просто наши отношения уже миновали стадию бешеной влюбленности. Им уже девять лет, и мы оба пришли к выводу, что сможем быть вместе. Это только у нас в Союзе женятся очертя голову в двадцать лет. В Европе это уже не модно. Зато там и разводов куда меньше, чем у нас. Поэтому мой тебе совет, дочка, не спеши бежать замуж! Я убежден, что ты меня вряд ли послушаешься, но все-таки запомни этот разговор.

Но я, разумеется, о нем забыла, когда по уши влюбилась в своего первого мужа.

Отец уехал, оставив меня в своей квартире под присмотром тети Сони, которая жила в соседнем подъезде. И этот присмотр был почище любого другого. Я дружила с ее сыном, моим двоюродным братом Федякой. Тетя Соня, дядя Юлик и Федяка стали для меня настоящей семьей. Но жила я все-таки одна. Хотя тетя Соня строго следила за тем, чтобы я не развела в квартире бардак. Но, видимо, мамины гены все же сказались, и я тоже любила чистоту, но не маниакально. Тетя Соня и готовить меня научила, хотя обедала и ужинала я у них.

— Пригодится, когда замуж выйдешь. Да и вообще, женщина, не умеющая готовить, не совсем женщина, даже если она красуется на экране.

А мне это нравилось! Иногда ко мне приходили подружки, и я удивляла их каким-нибудь пирогом или тортом.

Мальчишки рано начали проявлять ко мне интерес, но у меня большого интереса не вызывали.

Первый раз папа приехал через год. Он неузнаваемо изменился. Раньше это был такой московский сибарит, циник, красавец и бонвиван. А теперь... Никто не мог предположить, что жизнь так круто его поменяет, вернее, он так круто поменяет свою жизнь.

Отец пошел работать в информационное агентство и практически не вылезал из горячих точек. К тому же он здорово похудел, отрастил бороду, выглядел моложе и спортивнее.

— Я живу полной жизнью, Сонечка! — говорил он сестре. — Я здесь застоялся, хоть и работал немало, но разве сравнишь! Я чувствую себя человеком, мужиком, я не вру на каждом шагу, попадая, скажем, в Афганистан или Никарагуа... Меня первый раз отправляли с большими сомнениями, под поручительство тестя, но мой репортаж был оценен по высшему классу, я получил престижную премию...

Он захлебывался, его распирало от гордости... Он привез кучу подарков всем, был весел, но не забыл привезти мне приглашение и сам же со мной ходил по всем инстанциям, в результате мне дали разрешение поехать к нему на месяц. И хотя в июле стояла жуткая жара, я бегала по Риму, ошалев от счастья. И влюбилась в этот город с его историей, красотой и огромным количеством бездомных кошек.

Отец и Карлотта, которая мне очень нравилась, жили в огромной квартире на знаменитой Виа Маргутта. Там было так необычно и красиво. Этажом ниже жил дед Карлотты, знаменитый итальянский галерист, сухонький смешной старичок, который при виде меня всегда восклицал: che bellezza[1] и больно щипал меня за предплечье. Я вскрикивала, а он совал мне невероятно вкусную большую конфету. Однажды Карлотта обнаружила у меня на предплечье синяк.

— Что это? — спросила она.

Я промолчала. Мне неловко было доносить на старичка.

---

[1] Какая красавица (*итал.*).

— Кажется, я понимаю, — хмыкнула Карлотта, а вечером того же дня принесла мне большой пакет с этими конфетами.

Не знаю, что уж она там сказала деду, но больше он меня не трогал. Просто перестал меня замечать вообще. Когда я приехала в следующий раз, деда уже не было в живых.

Карлотта прекрасно говорила по-русски. Она, как оказалось, училась в Ленинграде и в роду у них были русские. Я обожала эти поездки. Но мама давала мне разрешение всегда с недовольным видом. Считала, что это дурно на меня влияет. У нее родилась девочка, полная противоположность мне, беленькая, бесцветная, но вполне милая. Правда, Медуз старался меня к ней не подпускать. Я как-то услышала его разговор с мамой:

— Леля, зачем ты позволяешь Фаине брать Леночку на руки?

— А в чем дело, Валя?

— Девочка в таком возрасте живет одна, без присмотра, мало ли чем может заразиться...

— Валя, что ты говоришь?

— Я врач, я знаю, что говорю, и я не хочу, чтобы Леночка...

Я задохнулась от обиды и ненависти.

— Я все слышала, мама. Не волнуйся, я больше никогда не переступлю порог этой квартиры! Никогда, слышишь! И вообще, забудь, что у тебя две дочери! Только одна!

Я выскочила на лестницу, вся дрожа. Мама побежала за мной, поняла, что Медуз переборщил.

— Фаина, девочка, не обращай внимания, это все ерунда...

— Нет, мама! Если ты захочешь меня видеть, приходи ко мне! Но одна!

Я сдержала слово. Больше никогда не переступила порог квартиры, где родилась. Через три года они эту квартиру продали и уехали жить в Финляндию. С тех пор я маму не видела. Выходя замуж, я позвонила ей и пригласила на свадьбу, но она не смогла приехать. Или не захотела, не знаю.

Так я взрослела. Одна. Хотя тепла и заботы мне хватало. Тетя Соня и дядя Юлик заменили мне родителей. В их тревогах обо мне не было и тени фальши. А Федяка и сейчас мой близкий друг.

Я жила одна и находила в этом известную прелесть. Подруг у меня было немного, школьные компании меня не увлекали, и вопреки предсказаниям Медуза я вовсе не стала малолетней шлюхой. Я любила читать и вполне естественно после школы подала документы в МГУ, на филфак, и поступила с первого раза без всякого блата, на романо-германское отделение. Я со страстью учила итальянский! Еще бы, ведь каждое лето у меня была возможность удивлять своими успехами отца и Карлотту.

— Придется тебя выдать замуж за итальянца, — смеясь, говорил отец.

— Ничего не имею против! Они веселые! И итальянскую кухню я обожаю.

Но замуж я вышла за русского парня. Его звали Максом, он был родом с Алтая, окончил Институт стали и сплавов, и мы поженились через две недели после знакомства. Я тогда училась на третьем курсе. Правда, мы не регистрировали наш брак, и Макс просто переехал ко мне. Тетя Соня и дядя Юлик, вопреки моим опасениям, не настаивали на официальном браке.

— Федь, — спросила я у кузена, — почему твои так легко согласились?

— Да не просто согласились, а до смерти обрадовались.

— Почему? — не поняла я.

— Потому что считают, что вряд ли вы долго продержитесь, а так Макса не надо прописывать к тебе, с квартирой проблем не будет, если разбежитесь.

Я тогда обиделась. Обиделась за Макса. И даже стала настаивать на том, чтобы пожениться. Но Макс только смеялся.

— Зачем, Фаинка? Разбежаться будет проще.

Мне, дуре, казалось, что у нас неземная любовь, что у нас будут дети, а он думает, как бы нам разбежаться?

— По крайней мере он довольно бескорыстный малый, — заметила тетя Соня, когда я поделилась с ней своими разочарованиями. Я-то любила его... А он в самом деле через два года слинял. Просто в один прекрасный день я вернулась домой, а его и след простыл. Забрал все свои вещи и был таков. Даже записки не оставил.

Я долго не могла прийти в себя от горя и обиды. Уехала к отцу в Рим. Карлотта знакомила меня с какими-то молодыми людьми, но, видимо, было еще рано. Травма оказалась слишком глубокой. Я ни на кого не хотела смотреть, да и парни как-то шарахались от меня. Но тут случилась беда — отца ранили в одной из горячих точек, и мне стало не до любовных горестей. Его доставили в Рим, сделали операцию, и я с неистовой страстью принялась выхаживать его.

— Бамбина, да ты просто Юлия Вревская! — смеялся папа, хотя ему было не до смеха. Он четко осознавал, что с таким ранением вряд ли сможет вернуться к прежней работе. У него была прострелена нога, и так неудачно, что он навсегда остался хромым.

— Отбегался я, дочка! Но ничего, лорд Байрон тоже хромал!

— Ты будешь писать стихи, как Байрон?

— Нет, увы! Но и просто заслуженным инвалидом я тоже не хочу доживать.

— И что же ты думаешь делать?

— Вот встану на ноги и буду помогать тестю, он давно этого хочет. Стану устраивать выставки не только картин, но и фотографий, ну и буду наслаждаться оставшейся жизнью. Буду пить вино, вкусно есть, волочиться за красивыми женщинами...

— Нет, ты будешь волочить за ними ногу!

— О, бамбина! Это злобная шутка!

— Не злобная, а острая!

— Да, тебе палец в рот не клади! — хохотал мой неунывающий папа.

Когда он наконец встал и начал потихоньку ходить, я почувствовала, что забыла о Максе. Клин клином!

Потом я вышла замуж по-настоящему. Свадьба, белое платье из Милана, свадебное путешествие на Канары... Масса иллюзий и... Ничего! Мне просто нечего сказать об этом браке, от него осталась только пустота. Пустота в душе, в сердце. Мой муж был просто пустым местом, почти фантомом, не оставившим никакого следа, даже странно. И развод был избавлением от пустоты. Я опять начинала жить заново. И пошла работать. В новый мужской журнал. Вот там-то я встретила главную и единственную настоящую любовь. Этот человек наполнял меня таким счастьем! Достаточно было увидеть его, услышать его голос... Он тоже работал в нашем журнале. Но если я тянулась изо всех сил, чтобы стать хорошей журналисткой, то ему у нас было тесно. Вулканолог по первой своей профессии, он казался мне неимоверно романтическим героем. Он был умным, добрым, веселым, относился ко мне очень тепло, по-дружески, но как женщину меня не воспринимал. А я боялась спугнуть возникшие дружеские отношения, старалась всячески показать ему свою независимость и приучала его к тому, что я просто добрая подруга... Я верила и надеялась, что он сумеет оценить меня по достоинству и в один прекрасный день полюбит. Но увы... И тогда я стала заводить романы с кем попало, кратковременные, пустые, что называется для здоровья. И частенько, как другу, жаловалась Родиону. Его звали Родион Шахрин. Он тоже иногда рассказывал мне о какой-нибудь не в меру назойливой девице, и я мысленно поздравляла себя с тем, что не стала одной из них. Я все еще надеялась, что в один прекрасный день у него откроются глаза... А потом он вдруг решил познакомить меня со своим младшим братом, приехавшим из Америки. И у меня голова пошла кругом. Я вообразила, что этот самый брат сможет стать для меня тем, чем не стал Родион. Но это было так глупо... Переспав с ним, я поняла, что не нужна ему, а он мне. Он, как выяснилось, приезжал в Москву, чтобы найти какую-то девушку из своей молодости. А потом оказалось, что именно ее безумно полюбил Родион. О, как же он мучился! Как его колбасило и плющило! Что-то у него с ней не ладилось... Она жила в Германии, он в Москве, между ними были какие-то непонятки... Я сначала злорадствовала, а потом мне вдруг стало его безумно жалко... Он даже с горя сделал мне предложение... Но я так не хотела. Мы вместе встречали Новый год у его друзей. Я сперва радовалась такой перспективе, говорят же, как встретишь Новый год, так его и проведешь, но это чепуха. Он был такой грустный, подавленный, потерянный, что я решила раз и навсегда покончить с этим своим дурацким чувством. Я пошла в туристическое агентство и купила билет в

Мюнхен, где жила его любовь со смешным прозвищем «Девственная селедка», и попросила доставить билет и ваучер на гостиницу ему в офис. У него теперь был свой собственный журнал. И он полетел в Мюнхен. А я уволилась с работы и улетела к отцу в Рим. И вот теперь через две недели предстоит моя свадьба.

В огромной отцовской квартире, убранством напоминавшей дивный фильм Висконти «Семейный портрет в интерьере», был большущий балкон, вернее, даже целая терраса, где мы частенько пили чай по вечерам (отец приучил Карлотту к этим чаепитиям). Когда я вернулась, отец сидел там один.

— Бамбина! Где тебя носит целыми днями?

Я поцеловала его.

— Просто брожу по Риму, благо есть такая возможность.

— Купила что-нибудь?

— Папочка, я же сказала, что брожу по Риму, а не по магазинам.

— Если женщина ходит не по магазинам, а просто по городу, это неважный признак.

— Почему?

— Скажи, бамбина, ты не хочешь выходить замуж?

— Хочу!

— Ты не хочешь выходить за Серджио?

— С чего ты взял, папочка?

— Сядь-ка, что ты стоишь, как назойливый официант? И налей мне еще чаю.

— А где Карлотта?

— Встречается с подругой.

— С Эмилией?

— Нет. Из Лондона прилетела Стефания.

— А!

— Бамбина, ты не ответила на мой вопрос? Ты не любишь Серджио?

— Папочка, ты сам когда-то внушал мне, что замуж лучше выходить без особой любви. Тогда в браке будут открываться какие-то неведомые прежде достоинства...

— В принципе это так... Но, прости, родная, за вопрос, ты с ним уже спала?

— Папа!

— Но это имеет принципиальное значение... А вдруг он будет тебе противен?

— Он мне не противен.

— Понял, — улыбнулся он. — Что ж... Да, бамбина, тебе звонила какая-то дама.

— Какая дама?

— Из Москвы. Анита.

— Анита? — вздрогнула я. — Она звонила из Москвы?

— Да нет, насколько я понял, она в Риме. И жаждет с тобой увидеться. Она оставила номер телефона.

— Странно, почему она не позвонила на мобильный?

— Бамбина, что у тебя с головой?

В самом деле, решив начать новую жизнь в Риме, я купила здесь новый телефон, с римским номером.

— А ты не дал ей новый номер?

— Нет. Откуда я знаю, хочешь ты этого или нет? Но она оставила свой телефон. Если я не ошибаюсь, это твоя бывшая начальница?

— Она. Интересно, зачем я ей понадобилась?

— Ты позвонишь ей?

— Нет, если ей надо, пусть звонит. А я покончила с прошлым.

Отец насмешливо вздернул бровь. Он мне не верил. Я и сама себе не верила. Но знала — так надо. Я выйду замуж за Серджио. Он и в самом деле не был мне противен, когда увез меня на уик-энд на озеро Комо и там в роскошном отеле мы занимались любовью... Какое противное, лживое выражение: заниматься любовью, когда речь идет просто о сексе. Мы занимались сексом. И это было совсем неплохо. Вот если бы Родион полюбил меня, тогда бы можно было сказать «мы занимались любовью». Но так не случилось, а с Серджио... При чем здесь любовь? Он ведь тоже, по-моему, не умирает от любви, просто он родственник Карлотты, участник семейного бизнеса, а поскольку я единственная наследница отца и Карлотты, то женитьба на мне ему вполне выгодна. Я ему, конечно, нравлюсь, даже очень, возможно, он в меня даже влюблен, но... Я отчетливо понимаю, что нам предстоит

открывать друг в друге достоинства. Мужские достоинства у него вполне на уровне, да и я, кажется, не ударила лицом в грязь. Короче, мы оба остались довольны тем уик-эндом. И повторяли его несколько раз. И мы оба хотели детей. И жить мы будем в Риме. И зачем тут Анита?

Она позвонила поздно вечером.

— Фаинчик! Как я рада тебя слышать!

— Добрый вечер, Анита!

Раньше мы были на «вы».

— Фаинчик, у тебя завтра найдется часик-другой на обед со старой знакомой? Очень охота повидаться, поболтать о том, о сем. Ты как?

— Анита, что-то случилось?

— Ну, за время твоего отсутствия случилось многое, но звоню я не поэтому. Просто оказалась в Риме, чудом выкроилось три дня, и жутко захотелось повидаться, я расскажу тебе много интересного.

Неужто Родион вернулся в Москву? — задрожала я. Они ведь хорошо знакомы, именно он устроил меня к ней в журнал. Может, не вышло у него с «селедкой»!?

— Хорошо, Анита, где и когда?

Анита Михальчик, хозяйка и главный редактор глянцевого журнала, невероятно стильная и элегантная дама лет сорока пяти, была умна, прекрасно образованна, хотя отнюдь не блистала красотой, но стиль и безупречный вкус выделяли ее даже в тол-

2-1474и

пе сногсшибательных красоток. И сотрудниц она выбирала, руководствуясь прежде всего правилами хорошего вкуса. Помню, как одну красивую и очень дельную девушку, которую рекомендовал ей кто-то из знакомых, она забраковала. Никто не мог взять в толк — почему.

— Да у нее же маникюр со стразами! Невозможно! В моем журнале таким не место!

— Ну и что? — удивилась я. — Маникюр можно поменять.

— Маникюр — да, а сознание нет. Если она сделала себе такой маникюр, значит, у нее начисто нет вкуса.

— Но вкус можно развить...

— На работе мы должны развивать вкус у читателей, а не у сотрудников.

Когда я первый раз встретилась с ней, она окинула меня весьма внимательным и холодным взглядом, но потом взгляд потеплел, а через полтора часа показавшегося мне странным разговора она заявила:

— Вы мне подходите, Фаина. Разумеется, у вас будет испытательный срок, два месяца. Надеюсь, вы не обманете моих ожиданий.

Я старалась изо всех сил. Во-первых, работа с Михальчик была пропуском в любое глянцевое издание, а во-вторых, я не хотела подвести Родиона. Ведь это он меня рекомендовал. Нельзя, чтобы он за меня краснел.

Анита ждала меня в холле роскошного отеля.

— Я не опоздала, Анита?

— Нет-нет, это я спустилась чуть раньше. Фаинчик, как я рада тебя видеть! Выглядишь великолепно.

— Спасибо, вы тоже.

— Послушай, говори мне «ты». Теперь можно.

— Не поняла?

— Ну, во-первых, мы здесь одни, а во-вторых, когда ты пришла ко мне работать, тебе было тридцать, а мне сорок. Десять лет большая разница. А теперь тебе уже тридцать пять, а мне по-прежнему сорок.

Я расхохоталась.

— Обожаю твой юмор, Анита!

— Сразу оговорюсь: я намерена пребывать в этом роскошном возрасте еще как минимум лет десять.

— А мне как быть? Стремиться к сорока или застыть на тридцати пяти?

— Естественным путем дойти до сорока, а там уж застыть. Ну что, по-русски это будет обед, а по-римски, вероятно, ланч? Я голодна.

— Я тоже.

— В гостиничном ресторане кормят восхитительно. Ты не против?

— Я за.

Я рада была ее видеть. И с огромным трудом удерживалась от вопроса о Родионе.

— Ну, Фаинчик, как тебе тут живется? Замуж не вышла?

— Через две недели свадьба. Может быть, приедете?

— Опять на «вы»? Нет, я не смогу, и так в журнале без тебя полный бардак.

— Жаль, свадьба должна быть жутко изысканной... Платье цвета слоновой кости с брюссельскими кружевами...

— От?

— Нет, его сшила подруга моей мачехи, работавшая много лет у Баленсиаги.

— Так, а кто жених? Это несколько важнее платья. По крайней мере на мой взгляд.

Она видит меня насквозь, как и раньше. Я слегка поежилась.

— Жених? О, он отвечает самому изысканному вкусу. Сейчас покажу.

Я нарочно захватила с собой роскошную фотографию Серджио. Ни одна нормальная женщина не усомнится, что я выхожу замуж по любви.

— Мда... — как-то странно произнесла Анита. — Роскошный экземпляр.

Я кивнула.

— И ты его любишь?

— Анита...

— Да, мы с тобой раньше никогда не говорили о таких вещах, но раньше я была начальницей, а ты подчиненной, да и времени катастрофически не хватало... А сейчас... Хотя уже можешь не отвечать. Мне и так ясно, любовью тут и не пахнет.

— Ну и что? Много вы... то есть ты... много встречала счастливых браков по любви?

— Тогда зачем тебе это нужно? Просто чтобы выйти замуж? Я думала, ты умнее.

— То есть?

— Я еще поняла бы, если бы это случилось в России, но тут, за границей... Мало, что ли, ты знаешь кошмарных историй с отнятыми детьми?

— Но...

— Фаина, одумайся!

— Да с какой стати? В Москве у меня ничего не вышло. А мне уже тридцать пять, пора уж обзавестись семьей и детьми.

— А что тебе мешало сделать это в Москве? У тебя там и друзья и родня.

— Здесь у меня, между прочим, отец...

— Между прочим, вот именно.

— Анита!

— Извини, я просто всегда злюсь, когда люди, которых я люблю, делают такие откровенные глупости. И вообще, это я виновата, я не должна была с самого начала тебя отпускать. Побесилась бы и успокоилась. Ты это из-за Шахрина?

— Анита, при чем здесь... — я почувствовала, что краснею.

— Ты думаешь, я слепая? Не знала, что ты умираешь по нему? Я просто не считала себя вправе вмешиваться. Но когда я поняла... Фаина, не делай глупости. Тебе кажется, что ты утрешь ему нос, выйдя замуж за красивого итальянца?

— Нет, при чем тут его нос...

— Ну, милая, неужто ты не знаешь, что самое заветное желание любой обиженной бабы утереть нос обидчику? Ты вот, козел эдакий, меня не оценил, а я вот возьму и выйду замуж так, чтоб всем было тошно?

— Анита, нет! Я выхожу замуж, просто чтобы...

— Просто чтобы выйти замуж. И это крайне глупо.

— А вот мой отец считает... — Я поведала ей теорию моего отца.

— Весьма однобокая теория.

— Почему?

— Потому что кроме достоинств открывается еще куча неведомых ранее недостатков, и неизвестно еще, что перевесит.

Я никогда раньше не сомневалась во всем, что говорил папа, и вдруг усомнилась... Папа романтик, а Анита женщина более чем прагматичная.

— Значит, по-твоему, выходить замуж надо только по любви?

— Вот именно. Но не по безумной страстной любви.

— А по какой же еще?

— По той единственной, которая и имеет право называться любовью.

— Не понимаю.

— Выходить замуж или жениться, по крайней мере официально, следует тогда, когда люди уже пожили друг с другом, притерлись, привязались, проросли друг в друга... Вот тогда... И детей тогда надо рожать, осознанно. А то выскакивают девчонки замуж, лишь бы выскочить, детей рожают, не перебесившись... Это хорошо, когда есть кому за ребенком присмотреть, а то растут зачастую никому не нужные дети, как трава. Конечно, есть и масса исключений, но все же... Ну выйдешь ты замуж за этого своего итальянца, ну родишь ребенка... А потом вдруг начнешь задыхаться. А выход какой? Развод в Италии штука почти немыслимая... И это в Москве можно жить гражданским браком, рожать детей, а тут фигушки. Тут это неприлично, насколько я понимаю. Знаешь, если бы на мой вопрос ты бы сразу выпалила: да, люблю, умираю от любви, поверь, я бы и слова тебе не сказала. А так... Извини, конечно, что я так горячусь, но ты мне и вправду небезразлична. Короче, чтобы не разводить турусы на колесах: если захочешь вернуться в Москву, твое место в журнале тебя ждет...

— Как? — обалдела я.

— А так. Я назначила на твое место Вишнякову, она жаждала карьерного роста. Но она вчистую завалила все уже через месяц. Я нашла девушку со стороны. Ее за месяц сожрали наши. В журнале черт знает что творится. Возвращайся, Фаинчик! На дворе кризис, надо выживать. Но я подниму тебе зарплату.

— Анита, это невозможно... — произнеся эту фразу, я вдруг почувствовала, что сердце больно сжалось.

— У тебя еще есть время подумать. Кстати, ты сдала свою квартиру?

— Нет, не успела... Я думала, вот выйду замуж и съезжу в Москву, улажу все дела...

— Тем лучше!

И она занялась весьма изысканным салатом.

— Анита, — тихо спросила я, — а ты не знаешь, как там Шахрин?

Она подняла на меня глаза.

— Краем уха слышала, что живет на две страны. Две недели в Москве, две недели в Мюнхене.

— Значит, там у него все хорошо?

— По-видимому. А ты в курсе, кто у него там?

— Нет, — мне не хотелось больше говорить о той истории. Ему хорошо, и слава Богу.

Встреча с Анитой повергла меня в смятение. И я решила пойти домой пешком. А заодно и навестить Цицерона, невероятно смешного бродячего кота, которого папа прозвал Цицероном за удивительную способность беседовать с кормящими его людьми. Огромный, черно-белый котище разбойного вида обитал неподалеку от Виа-Маргутта и в определенный час всегда сидел в ожидании визитеров. Подходишь к нему. Протягиваешь бумажку или пластиковую тарелочку с кормом.

— Привет, Цицерон.

Причем отвечает он только на итальянскую речь.

— Мау, — низким, даже гортанным голосом произносит он и нюхает подношение. Ест он далеко не все. Например, сухой и вообще специальный кошачий корм он в рот не берет, фыркает и мотает головой. Я давно с ним знакома и подаю ему любимое лакомство: мелкую свежую рыбешку, купленную в магазинчике за углом. Это ему нравится. Но он не набрасывается на еду, а вежливо благодарит.

— Мау, мау, мау!

Всегда три раза. И всегда через «а». «Я» у него никогда не бывает. Он принимается за еду. Ест аккуратно, без жадности. Я убираю тарелочку, чтобы не оставлять мусор. И тут Цицерон толкает целую речь. Начиная с низких нот, он постепенно переходит во все более высокий регистр. Причем эту, по-видимому, благодарственную речь необходимо выслушать до конца, иначе он может даже укусить, такое бывало. Но я люблю слушать это кошачье красноречие. Вот и сегодня его благодарственный спич длился положенные две минуты. Причем голос у него не истошный, а красивый. Я чешу его за ухом, и он отвечает мне громким мурлыканьем, больше всего напоминающим звук трактора. Затем он начинает мыться и моется очень тщательно. После этого можно уходить. Познакомил меня с Цицероном отец, и он же не без некоторой ревности утверждает, что ко мне Цицерон относится куда лучше, чем к нему. Впрочем, смеется папа, это естественно, ведь я существо женского пола, а Цицерон истинный джентльмен.

После общения с котом мне стало немного легче. Глупости все эти разговоры о Москве. Что и кого я там забыла? Гнусную слякоть? Серые дождливые дни? Хмурые лица? Одиночество?

Я достала из сумки телефон и позвонила Серджио. Я звонила ему крайне редко. А почему и сама не знаю. Он откликнулся. Тут же.

— Дорогая, что-то случилось?

— Да нет, просто вдруг захотелось услышать твой голос. Ты занят?

— Я, разумеется, занят, но не настолько, чтобы не поговорить с моей невестой.

— Да нет, я просто так...

— Может быть, мы вечером куда-нибудь сходим?

— Можно.

— Тогда я в половине десятого заеду за тобой.

— Хорошо, договорились.

— Дорогая, мне не нравится твой голос. Ты где сейчас?

— Я встречалась с одной знакомой из Москвы. А потом навестила Цицерона.

— Хм.

Я очень ясно увидела брезгливую ухмылку Серджио.

— Только не трогай его, мало ли что можно от него подцепить.

Не знаю, как сложилась бы моя дальнейшая жизнь, не произнеси Серджио этой фразы. Я вдруг отчетливо вспомнила слова Медуза: «Леля, зачем ты позволяешь Фаине брать Леночку на руки? Девочка в таком возрасте живет одна, мало ли чем может заразиться...»

Что я делаю со своей жизнью? Совсем мозги отшибло, замуж собралась... За кого? Я и знать о нем ничего не знаю. А хочу знать? Да пошел он. Хотела бы, уже все узнала бы... А я не хотела. Так зачем, чего ради? Права, тысячу раз права Анита. Как будто можно убежать от себя. Я же буду несчастной... Мой ребенок, если он родится, будет итальянцем. Он будет говорить по-итальянски, ведь его отец по-русски ни в зуб ногой... Зачем я согласилась на предложение Серджио? Просто я была как в анабиозе... Совершила, что называется, «подвиг любви», отдала любимого мужчину какой-то неведомой «селедке» и впала в ступор. Замуж? Не хочу я замуж больше. Хватит! Серджио не мой человек. Ну и что? Сколько женщин выходят за не своих... А что в этом хорошего? Они же, как правило, несчастны... Несчастных в браке женщин так много! И я не желаю пополнять их ряды. Не желаю. Уж лучше одной... И как я живу последние пять месяцев? На иждивении отца, а потом перейду на иждивение нелюбимого мужа? Тьфу! Это я-то, самостоятельно всего добившаяся! Хотя чего уж такого особенного я добилась? А мне особенного не надо. Мне просто надо жить там, где жила, общаться с теми, с кем общалась, делать то, что я умею и люблю... Анита нуждается во мне, журнал без меня разваливается... И я хочу жить в своей квартире, а не в полном антиквариата доме Серджио. И я не желаю лететь на Мальдивы, чтобы трахаться с Серджио на законных основаниях. НЕ ЖЕЛАЮ!

Мне вдруг стало так легко, как не было уже очень, очень давно. Первым делом я позвонила Аните. Телефон был заблокирован. Но я оставила сообщение на голосовой почте: «Анита, ты права. Я возвращаюсь».

И, набравшись храбрости, я отправилась домой. Дома была только Карлотта.

— Что, Фаина? Почему у тебя такой воинственный вид? — улыбнулась она.

— Карлотта, милая, ты знаешь... Ох, трудно... Я надеялась, что скажу это папе, а он уж подготовит тебя...

— Ты хочешь сказать, что намерена отменить свадьбу?

— Как ты догадалась?

— Я все время этого боялась.

— Ты осуждаешь меня?

— А Серджио уже знает?

— Нет. Я только что приняла решение...

— Что-то произошло?

Я пожала плечами. Как объяснить ей, что подтолкнул меня к этому решению Цицерон?

— Я все время ждала чего-то подобного...

— Ты осуждаешь меня? Я возмещу все расходы... Не сразу, но со временем...

— Какие расходы? Ты о платье?

— Нет, ну ведь на подготовку к свадьбе... И вам с папой и Серджио... Я рассчитаюсь... Обязательно. Но я вдруг поняла, что не смогу... И я возвращаюсь в Москву. Первым же рейсом, на какой найдется билет.

— Это твоя начальница тебя сбила с панталыку? — Карлотта обожала такие русские выражения.

— Нет. Я вдруг сама прозрела.

— Тогда надо сообщить Серджио. Он вправе узнать об этом в первую очередь.

— Да, да, конечно... Я сейчас...

Я видела, что Карлотта недовольна. Надо как можно скорее возвращаться домой. И сначала я позвонила в аэропорт. Билет был только на завтрашнее утро. Вот и отлично. Наконец, я набрала номер Серджио. Его телефон тоже был заблокирован. И я опять оставила сообщение на голосовой почте.

«Серджио, дорогой, прости меня, я понимаю, что поступаю черт знает как, но я завтра улетаю в Москву и больше не вернусь. Дело не в тебе, а во мне. Я поняла, что из нашего брака ничего не выйдет. Все издержки я со временем возмещу. Прости меня».

Какое счастье! И пусть я вызвала недовольство Карлотты, кажется, впервые за долгие годы, но это ведь моя жизнь, и я вправе сама ею распоряжаться.

Я принялась собирать вещи. Потом вдруг сообразила, что надо привезти какие-то сувениры девчонкам в редакции, и побежала по магазинам. Уходя, я слышала, что Карлотта с кем-то говорит по телефону. На площади Испании есть знаменитый магазин перчаток Сермонета. Там можно купить абсолютно любые перчатки. Правда, внутри магазина всегда давка, продавцы говорят на всех языках и не слишком вежливы. Они просто швыряют на прилавок кипы перчаток. Но мне было все равно. Я сразу купила двадцать пять пар, всех цветов и видов. Это недорого, но перчатки там действительно отличные. Выскочив наружу, я отдышалась. И вспомнила, что надо позвонить Федяке, пусть встретит меня. Тетя Соня расстроится. Они собирались всей семьей приехать на мою свадьбу...

— Федяка!

— О, сеньора Фаина! Как дела?

— Федь, скажи родителям, все отменяется.

— Что отменяется? — перепугался он.

— Свадьба. Я отменила свадьбу.

— Почему?

— Объясню завтра утром. Ты сможешь меня встретить?

— Само собой. А что случилось?

— Потерпи до завтра. Расскажу.

— Мама как чувствовала.

— Что?

— Сегодня утром сказала: что-то мне не верится, что эта свадьба состоится...

Милая, родная, любимая моя Соня! Она чувствует меня как родную дочь. И я точно знаю, что сейчас они втроем помчатся приводить в жилой вид мою заброшенную квартиру. Как же я по ним соскучилась... И тут же позвонила Анита.

— Фаинчик, это правда? — голос у нее был ликующий.

— Правда. У меня уже билет на утро.

— Круто! Ты молодчина, Фаинчик! Я вернусь послезавтра, и тогда увидимся. Пока не говори никому ничего. Я сама всем все объявлю. Договорились?

— Конечно. Да я и не успею ничего.

— Короче, жди моего звонка.

Когда я вернулась, отец был уже дома.

— Ну ты и учудила! — покачал он головой.

— Папа!

— Да ладно, — шепотом произнес он и подмигнул мне. — Я, как ты знаешь, не слишком верил в этот брак.

— Значит, ты не сердишься? — тоже шепотом спросила я.

— Чего мне-то сердиться? Я хочу только, чтобы ты была счастлива. Нет, в данном случае лучше сказать — чтобы ты не была несчастна. Но Карлотта рвет и мечет. Ты и вправду утром улетаешь?

— Да. Уже позвонила Федяке.

— А что с работой? Тебя твоя Анита поманила?

— Если честно, да. Но последним толчком послужил Цицерон.

И я рассказала отцу о разговоре с Серджио.

— Да пошел он куда подальше! — таково было папино резюме.

— Папочка, я тебя обожаю!

— Да, и забудь эти глупости с возмещением ущерба.

— Но я не хочу...

— Тебя это вообще не касается.

— Папа!

— Бамбина! Кстати, у тебя есть в Москве деньги?

— Есть, не волнуйся. И еще Анита мне поднимет зарплату.

— Ей можно верить?

— Да. Я ее за язык не тянула. И она очень во мне нуждается.

Он ласково потрепал меня по волосам.

— Бамбина, я рад... Я опять узнаю свою дочку. А то бродила тут по дому какая-то бледная копия моей девочки... К черту! Найдешь себе мужа в России, а если не мужа, то мужика, от которого родишь. И к черту всяких мужей. Родишь и подбросишь деду, а я уж воспитаю! И зачем нам какие-то чужие противные дядьки?

— Папа, а как же достоинства, которые можно открыть?

— А ты запоминаешь все глупости, которые я говорил в жизни?

Я очень боялась, что Серджио примчится и будут долгие мучительные объяснения. Но он даже не позвонил. Или просто не получил еще моего сообщения? Как бы там ни было, но утром отец отвез меня в аэропорт. Карлотта держалась со мной довольно сухо и не звала приехать при первой возможности, как обычно. Ну и ладно! Меня огорчало только то, что я не простилась с Цицероном. Но рано утром у него не приемные часы.

Встречали меня Федяка и тетя Соня. Она обняла меня, расцеловала.

— Маленькая моя, как хорошо, что ты сбежала из-под венца. Я, конечно, твоего жениха видела только на фотках, да и то в компьютере, но он мне не понравился. Красивый, но какой-то холодный, чужой... Ну его! Мы у тебя прибрались. А что с работой?

— Возвращаюсь в свой журнал.

— Здорово! Ох, как я по тебе соскучилась!

— Но я сорвала вам поездку в Рим.

— Да почему? Мы непременно поедем, просто будем чувствовать себя там легко и непринужденно.

— Ой, Финик, — вмешался в разговор Федяка, — мама так тут психовала...

— Из-за чего?

— Ну как же, там светское общество, а в чем я пойду на свадьбу? Я же не знаю, как там у них принято, боюсь показаться чумичкой...

— Сонечка, родная, — я обняла тетку.

— Вот, а теперь мне все равно. Виталик меня во всякие светские места и не водил никогда, а просто потаскаться по Риму — милое дело. Так что я даже испытала облегчение, когда Федька сообщил, что свадьбы не будет. А ты мне потом все подробненько расскажешь, почему ты так решила.

— Обязательно! А что тут у вас нового?

Меня засыпали новостями.

Когда Федяка втащил в квартиру мои чемоданы, Соня заявила:

— Сейчас ты разбирайся тут, а в три мы ждем тебя к обеду. Я приготовила все твое любимое.

И они ушли.

Я принялась разбирать чемоданы, и через полчаса квартира имела уже такой вид, словно я и не уезжала. Господи, какое счастье! Я открыла ящик комода, где у меня лежал маленький фотоальбом с фотографиями Родиона. Вот он один, такой загадочный... Вот мы с ним на каком-то приеме, вот в парке, а вот с моей последней машиной, он помогал мне ее купить... И вдруг странное ликование поднялось в душе. Я его больше не люблю! Я смотрю на эти фотографии спокойно, может быть, с легкой грустью, но и все. А я ведь достала альбом, чтобы выкинуть его, чтобы забыть о нем, а оказалось, что можно и не выбрасывать, не забывать. Я успокоилась, я излечилась! И при этом не поломала свою жизнь. Почему-то я была уверена, что жизнь Серджио я тоже не поломала, сбежав из-под венца. То есть все к лучшему в этом лучшем из миров. И я начну с новой строки. Но теперь в истории моей новой жизни уже не будет девиза «Во что бы то ни стало замуж!» К черту, все равно все будет так, как должно быть. Если не суждено мне быть женой и матерью, что ж...

Часть
вторая
Что будет...

Перед тем как идти на обед к Соне, я позвонила в дверь своей соседки Тины, с которой у меня сложились весьма теплые отношения. Но дверь никто не открыл. Странно, Тина была домоседкой. На работу не ходила, работал ее муж, а она со страстью занималась домом. Вечно что-то шила, стирала, терла. И наслаждалась этим процессом. Куда она подевалась, интересно? А впрочем, могла пойти в магазин или поехать к матери. Ладно, зайду вечером.

Обед у тетки, как всегда, был выше всяких похвал. Отведав ее борща, я вдруг ощутила, что такое, собственно, ностальгия. Это тоска по борщу.

Как же хорошо дома! Дядя Юлик пытался расспрашивать меня о Берлускони, о том, как относятся к нему итальянцы, но я не могла ему соответствовать. Политика интересовала меня в Италии меньше всего.

— Не понимаю, какая из тебя журналистка, если ты не интересуешься политикой? — недоумевал дядя Юлик.

— Папа, да она же гламурная журналистка, политика тут ни при чем, — смеялся Федяка.

— А я слышал, что гламур уже выходит из моды! — заявил дядя Юлик.

— Нет, просто он принимает другие формы, вернее, надевает другую личину, — смеялась я. — Персонажи-то остаются прежние. Только одеваться начинают скромнее. Но уверяю вас, убогие на вид очочки на светских львицах стоят не меньше, чем какой-нибудь роскошный аксессуар прежнего прикида. И любая из них по-прежнему готова душу продать за сумку «Биркин», тем более что несведущие люди никогда не догадаются, сколько такая сумочка стоит.

— А все же сколько? — поинтересовался дядюшка.

— Лучше не спрашивайте, многие тыщи.

— Чего?

— Евро.

— Нет, правда? — вытаращил глаза дядя Юлик.

— Святой истинный крест.

Я решила пока никому из знакомых и друзей не звонить. Надо сперва определиться с работой. Но на обратном пути я опять позвонила в дверь Тине. И опять мне никто не открыл. Может, они с мужем уехали отдыхать? Лето ведь на дворе.

Через час в мою дверь позвонили. Явился Федяка.

— Пустишь?

— Заходи. Что-то стряслось?

— Может стрястись, если ты не вмешаешься.

— Господи, что?

— Помоги, умоляю!

— Да в чем дело?

— Они хотят меня женить.

— Кто?

— Мама с папой.

— Вообще или конкретно?

— Да в том-то и дело, что конкретно. А я не хочу. Я ее не люблю...

— А кто она такая?

— Да одна... сука.

— Федь, либо расскажи толком, либо... Она что, залетела и явилась к Соне?

— Именно! А я совершенно не уверен, что залетела от меня. Совершенно не уверен!

— Но такое возможно?

— По-моему, нет. Ну, если только презерватив порвался.

— Ты пользуешься некачественными? — засмеялась я.

— Еще чего!

— А маме ты это говорил?

— Бесполезняк! Эта сука чем-то подкупила маму... в душу к ней влезла... И теперь они требуют, чтобы я женился.

— А чем я-то могу помочь?

— Поговори с мамой.

— Легкое дело! Соню, если она уперлась, с места не сдвинешь.

— И что, вот так легко отдашь меня на заклание?

— А эта девушка... она тебя любит?

— Ха, девушка! Да ни капельки не любит. Квартирку она мою любит. А потом вышвырнет меня к родителям, а квартиру заберет. Знаешь, чего мне стоило отстоять свою свободу от мамы с папой?

— А кто она такая? Откуда взялась?

— В каком смысле?

— Где ты с ней познакомился?

— В одной компании.

— Давно?

— Да уж полгода...

— А спишь с ней давно?

— Полгода. А какое это имеет значение?

— Чем она занимается?

— Работает в какой-то фирме...

— А живет где?

— Снимает квартиру вдвоем с подружкой.

— О! Это настораживает.

— То-то и оно!

— Тебе нравилось с ней спать?

— Ну, в общем...

— Она красивая?

— Вполне.

— А сколько ей лет?

— Двадцать шесть. Послушай, как-то странно ты задаешь вопросы...

— Федь, ну я же не следователь. Я ж не допрос веду, а просто хочу понять расстановку сил. Знаешь что, познакомь меня с ней.

— Зачем это? Даже и не подумаю!

— Почему?

— Потому что эта сука обаятельная. Она тебе сумеет понравиться, и ты переметнешься на ее сторону, и тогда уж точно я погиб. Не хочу я на ней жениться, и ребенка от нее не хочу, и вообще...

— Ну так поди к маме и скажи ей это.

— Ты маму не знаешь? Слушай, давай я лучше на тебе женюсь.

— Федь, ты офонарел?

— Да фиктивно, но мы ж двоюродные, нам можно...

— Да, братишка, ты, похоже, совсем спятил со страху...

— Не со страху, а от отчаяния.

— Хочешь умный совет?

— Если умный, то да.

— Она чего от тебя требует? Кстати, как ее зовут?

— Вика.

— Так чего от тебя требует эта Вика?

— Чтобы женился...

— И все?

— Пока да.

— Тогда слушай меня, только не ори.

— Ну?

— Женись на ней, но чтобы она знала, что ты это делаешь из-под палки.

— И что? Она вселится ко мне, потом родит...

— Если вообще родит. Какой у нее срок?

— Совсем еще небольшой.

— Понятно. Значит, так. Ты идешь к родителям и заявляешь, что женишься, уступая нажиму. Что никаких свадеб, путешествий и так далее. Что прописывать ее к себе ты не будешь, если хотят, пусть прописывают к себе. Зуб даю, Соня ее не пропишет.

— Так, так, — заметно оживился Федяка. — Но я не хочу с ней жить!

— Так тебе и не надо. Скажешь, что будешь, пока она беременная, давать ей бабки. А когда родит, сделаешь генетическую экспертизу, а там будет видно. Думаю, если девушка блефует, она на такие условия может и не пойти и вскоре у нее непременно случится выкидыш. А если действительно беременна, действительно от тебя, то признаешь ребенка и будешь давать на него деньги. По крайней мере останешься порядочным человеком, и даже Соня не сможет бросить в тебя камень.

— То есть я все-таки должен на ней жениться?

— Федь, у тебя есть другой выход?

— А нельзя эту самую экспертизу сделать сейчас?

— Насколько я понимаю, нет. Рано. А на более позднем сроке это может быть опасно для ребенка.

— То есть ребенка мне уже не избежать?

— Ну, милый, если спишь с женщиной, такое не исключено. Однако в таком случае у тебя есть шанс, что Вику такие жесткие условия просто не устроят. И тогда ты спасен.

Он задумался. Смешно, мужику уже тридцать шесть лет, а он растерялся, как восемнадцатилетний юнец.

— Фаина, ты откуда такая умная? — вдруг расплылся в улыбке кузен.

— В данный момент из Рима.

— Слушай, я прямо сейчас пойду к родителям и скажу им все.

— Нет, сначала поговори с Викой. Будь предельно сух и четок. И главное, не вздумай с ней спать! Ни под каким видом!

— Да я теперь и смотреть на нее не хочу!

— Ты зачем телефон достал?

— Позвонить ей.

— Нет. Позвонишь завтра. А пока обдумай все еще раз хорошенько и настройся на очень жесткую позицию и с ней и с мамой.

— Думаешь, поможет?

— Уверена.

— Ох, сестренка, что бы я без тебя делал... Впрочем, я все равно собирался обсудить с тобой ситуацию, но в Риме. Решил, что и Виталий может помочь...

— Попробуй, свяжись с ним по мылу. Но я думаю, он тебе посоветует то же, что и я.

— Да нет, я удовлетворюсь твоими советами. Спасибо, мне уже стало легче. По крайней мере я хоть понял, как мне действовать.

— Ну и слава богу. Да, Федь, ты не в курсе, Тина что, отдыхать уехала?

— Ой, ты ж ничего не знаешь!

— Что-то случилось?

— Ну что там случилось, я не знаю, но они продали квартиру.

— Да ты что! Почему?

— Понятия не имею. Я же с ними не очень...

— А кто купил-то?

— Да тоже не знаю. Мне как-то до фени...

— А что рядом твоя сестра любимая живет, об этом ты не вспомнил?

— Да в том-то и дело, что сестра собиралась заделаться синьорой и жить в Риме, среди гобеленов и антиквариата, а не в аэропортовской двушке.

— Прав. Обвинения снимаются. Поживем — увидим. А мама не в курсе?

— Спроси у мамы.

— Федь, услуга за услугу.

— Что угодно!

— Можешь в выходные поехать со мной в мебельный магазин?

— Зачем?

— Хочу поменять кровать.

— Сломала?

— Нет, просто я поняла, что она неудобная. Хочу другую.

Он посмотрел на меня и усмехнулся.

— Хочешь начать новую жизнь? Безгрешную? Старая кровать много кого помнит?

Я засмеялась.

— А хоть бы и так.

— Нет вопросов. Поедем. А эту куда?

— Матрас на помойку, а деревяшки ты порубишь.

— Лучше распилю.

— О, это уже твои проблемы.

— Ладно, сестра. И спасибо за хорошие советы. Я ими непременно воспользуюсь. Вот прямо сейчас.

— Валяй!

— Фаинчик, давай встретимся где-нибудь и все обсудим.

— Я готова.

— Отлично! Тогда через полтора часа в «Лесном пире».

— Договорились!

— Надо многое обсудить.

В голосе Аниты слышалось ликование. Неужто она так ликует из-за моего возвращения? Значит, здорово ей меня не хватало! Я долго выбирала, во что одеться по такому случаю. Хотя днем в этот отнюдь не гламурный ресторанчик можно одеться как угодно, но хотелось выглядеть на все сто. И я надела красное платье. Оно было совсем новое. И очень мне шло. Босоножки тоже красные на высоченной шпильке. Анита считает, что женщина без каблуков не очень женщина. Да и я люблю каблуки. Я вызвала такси, свою машину я еще не забрала из гаража моих друзей, куда загнала ее перед отъездом в Рим. А гараж находится за городом.

Я спустилась вниз, открыла дверь и ахнула. Перед подъездом расстилалась огромная лужа. Всю ночь шел дождь. Никогда раньше здесь таких луж не было. И обойти ее на моих шпильках тоже не представлялось возможным, поскольку газон был насквозь пропитан влагой. Я замерла. Такси стояло совсем близко, шофер понимающе ухмыльнулся. В этот момент из подъезда кто-то вышел. И присвистнул.

— Ни фига себе! — произнес мужской голос.

— Кошмар какой-то! — сказала я и оглянулась.

Мужчина был мне незнаком. Некрасивый, сильно небритый. Лет сорока.

— А, была не была! — произнес он и вдруг схватил меня на руки и мгновенно перенес через лужу. Я даже опомниться не успела, как он уже поставил меня на сушу. — Вот и все, девушка!

— Спасибо, огромное вам спасибо!

— Это вам спасибо.

— А мне за что? — засмеялась я.

— За то, что не брыкались, не визжали.

— Так я просто не успела.

— Вот и славно. Всего хорошего.

Он подошел к припаркованному неподалеку темно-коричневому джипу.

— Садитесь, — напомнил мне таксист. — Счетчик-то тикает.

Я села рядом с ним.

— Надо же, прям как в кино, — причмокнул водитель. — Это ваш знакомый?

— Первый раз его вижу.

— Прям как в кино! Здорово!

— Да, мне тоже понравилось.

— Куда едем?

— Проспект Мира. Самое начало.

— Понял.

А я закрыла глаза. Вспомнила сильные руки, державшие меня всего несколько секунд. Небритую щеку и запах хорошего одеколона. Черт возьми, с такой сцены мог бы начаться роман... Но он даже не спросил, как меня зовут... Он просто мужчина... и, наверное, поступил бы так же, будь на моем месте любая другая женщина. Ну, может, не любая... Нет, он ведь даже не успел меня разглядеть, когда подхватил на руки. Просто мужчина с еще не отмершими мужскими свойствами. А Родька как поступил бы? Взял бы меня на руки? Может, и взял бы. Меня. Добрую подружку. А вовсе не первую попавшуюся... Неужели такие мужчины еще бывают? Фаина, опомнись, так и втюриться недолго в какого-то незнакомца. Оно тебе надо? Надо! Втюриться надо! Но не в незнакомца, который уж и забыл обо мне. Он просто спешил и все равно ступил бы в лужу. Так почему заодно не подержать в руках красивую и довольно молодую бабенку...

— Приехали! Тут лужи нет, — заржал водитель.

— Здорово! Быстро как...

— Повезло, пробок не было.

В результате я приехала на двадцать минут раньше назначенного Анитой срока. Хорошо! В будний день и в этот час гуляющих в Ботаническом саду мало. Да и в ресторане народу немного. Я заказала себе чашку кофе. В дверях вдруг появилась женщина лет тридцати, обвела ресторан тревожным взглядом, остановила его на мне, потом еще раз обежала взглядом помещение. Спросила о чем-то у официантки, та отрицательно покачала головой. Тогда женщина стремительно направилась ко мне.

— Здравствуйте! — сказала она и уселась напротив меня.

— Мы знакомы? — удивилась я. У меня неплохая память на лица. Я ее не помнила.

— Нет, вот и познакомимся!

— Извините, но я жду...

— Знаю я, кого вы ждете! Не дождетесь! Он не придет. Он не получил вашу эсэмэску. Ее получила я.

— Вы что-то путаете. Я жду женщину и никаких эсэмэсок я не...

— Ладно, не старайтесь! Так вот, вы уж, наверное, догадались, кто я. Впрочем, это неважно. Скажите мне, чего вы хотите от моего мужа?

— От вашего мужа? Ровным счетом ничего, особенно учитывая, что я не знаю вашего мужа.

— Зачем вы врете? Я давно в курсе! И давно искала случая с вами поговорить.

Она была вне себя. Пытаться что-то объяснять ей сейчас просто бесполезно. Ничего, потерплю до прихода Аниты, тогда эта несчастная поймет.

— Послушайте, мне, в конце концов, все равно, что он с вами спит, я закрывала на все глаза, но теперь...

— Что теперь? — не удержалась я.

— А, так вы признаетесь, что спите с моим мужем!

— О господи!

— Думаете, я не знаю, что вы ездили с ним в Италию, хотя всем сказали, будто уехали в отпуск в Египет! Я все поняла! И я так этого не оставлю! — уже почти кричала она.

В этот момент в дверях появилась еще одна женщина. Тоже обвела взглядом зал и, заметив нас, мгновенно исчезла. Кажется, меня приняли за нее. А она смылась!

— Имейте в виду! Я не позволю ему жениться на вас, не дам развода, и куда он на фиг денется? Чего он стоит без денег моего отца? Так что вам обломиться может только он сам, лично, без ко-

3-1474и

пейки денег, вымотанный до предела, я уж сумею его вымотать, можете мне верить.

— Верю, — кивнула я сама не знаю зачем.

— Ты, сука, конечно, красивее меня. Но ищи в другом месте, поняла? Гунара тебе не видать как своих ушей!

— Гунара? — переспросила я, потрясенная догадкой.

Гунар, недавно вернувшийся из Италии? Вот так совпадение. Хотя чего только не бывает. Может, это другой Гунар?

— Гунар, Гунар! Не притворяйся, паскуда! — она все больше накалялась ненавистью. — Ишь, строит из себя! А чего в красное вырядилась?

— Что здесь происходит? — раздался вдруг ледяной голос Аниты. Это она умеет.

— Да вот, женщина приняла меня за любовницу своего мужа.

— Фаина, а ты почему это все терпишь? Я сейчас вызову охранника.

— Фаина? — опешила женщина.

— Да, — пожала я плечами.

— Вас зовут Фаина?

— Ну да.

— Неужто я ошиблась?

— Я же вам говорила, но вы меня не слушали.

— Идите отсюда, — вмешалась Анита. — Фаина и так достаточно от вас наслушалась.

— Простите меня, ради бога простите, я была не в себе...

— Сейчас вы уже в себе? Вот и ступайте домой, — распорядилась Анита.

Несчастная бросилась вон.

— Черт знает что, как можно так опускаться? Недопустимо! Ну здравствуй, Фаинчик! Выглядишь великолепно.

— Самое смешное, Анита, что я, кажется, немножко знаю ее мужа. — Я рассказала Аните о своей встрече на площади Испании.

— Да, его можно понять: вырвался в Рим без жены, ревнивой истерички, и любовница небось не многим лучше. Вот и чувствовал себя счастливым.

— Если это был он. В конце концов, Гунар не столь уж редкое имя.

— Да он, я уверена, он.

— Анита, а что такое с тобой? Ты часом не влюбилась?

И вдруг она покраснела. Кажется, впервые за годы знакомства я увидела, как Анита краснеет!

— Анита, он кто?

— О, он весьма известная фигура, я не буду его называть.

— Не называй! А где взяла?

— Мы вместе летели в Рим. В бизнес-классе нас было только двое.

— И что? Вы разыграли сцену из «Эммануэль»?

— Фу, Фаина! — поморщилась она.

— Извини.

— Знаешь, мы общались... и нам обоим казалось, что мы знаем друг друга уже сто лет...

— И этим все ограничилось?

— Нет, он взял мой телефон и уже звонил... Сегодня вечером мы ужинаем...

— Здорово! Я тебя такой еще никогда не видела...

— Знаешь, он вел себя так по-мужски... Это проявляется в каких-то мелочах, но так приятно... Я отвыкла... Это человек из другого мира... Он никогда в жизни не видел меня на экране.

— Неудивительно, твоя программа все-таки сугубо женская.

— А знаешь, сколько мужиков меня узнают? Даже жутко делается.

— Он женат?

— Женат. Но я же не замуж за него собираюсь... Я даже спать с ним не хочу...

— Почему? Старый?

— Да нет, просто хочется чего-то другого...

— Господи, чего? — испугалась я.

— Тепла. Доброты. Доверия. Хочется чувствовать себя не очередной блядью, а... Словом, пока обойдемся без секса.

— А он-то согласится?

— Поглядим. Пока это все... так, мимолетности.

— Как у Прокофьева, да?

— Вот за что люблю тебя, Фаинчик, что с тобой легко говорить обо всем. Схватываешь на лету.

— Кстати, о мужчинах-мимолетностях...

Я рассказала ей об утреннем эпизоде.

— Вот так прямо схватил на руки и перенес? Красиво, черт побери... И не пытался получить вознаграждение? Чудеса...

— Да, сегодня день чудес... мы же с тобой никогда вот так не сидели и не болтали, всегда только по делу, второпях.

— Знаешь, я в Риме вдруг поняла одну прискорбную вещь...

— Какую?

— Я практически осталась одна. Сын взрослый, живет своей жизнью, муж остался в прошлом, а друзей и подруг сглодала зависть.

— Что, всех?

— Практически всех. Журнал они еще смогли пережить, но телевидение... Знаешь, я зависть чую, как собака взрывчатку.

— А как же романс «При счастьи все дружатся с нами, при горе нет уж тех друзей»? — попыталась я свести все к шутке.

— Ерунда! Знаешь, я в школе, в институте была такая общительная, куча друзей, вечеринки, гости... А как начала подниматься, они стали отпадать, как пересохшая шелуха... И, что странно, мужики... тоже отпали... А вот с тобой я могу общаться, ты меня понимаешь, и зависти в тебе не чувствуется.

Черт побери, практически «Дьявол носит "Прада"»! Не успела я подумать это, как Анита усмехнулась:

— Смотри-ка, Фаинчик, по сути, все как в «Дьявол носит "Прада"».

— Анита, я только рот открыла, чтобы это сказать...

— За это надо выпить. Ты за рулем?

— Нет. Еще не забрала машину.

— А я с водителем, так что выпьем по «Кровавой Мэри». Или хочешь «Мохито»?

— Нет, лучше «Мэри».

— Ладно, тогда к делу. Знаешь, надвигается кризис, нам его по любому не избежать, значит, надо постараться быть во всеоружии.

— Анита, но финансы — это не моя тема...

— Да знаю, я вот что думаю, может, нам что-то изменить в концепции журнала?

— Но это может быть только хуже. У нас есть своя аудитория, она к нам привыкла...

— Я подумала, может, нам нужен новый тон? Такой, знаешь ли, слегка иронический, что ли.

— Над чем иронизировать будем?

— Надо всем.

— Хорошо, допустим, но кто писать-то нам будет в этом ключе?

— Найдем.

— А старых сотрудников куда? Как раз в кризис-то только сплоченным коллективом и можно выжить. Просто, по-моему, не надо сейчас суетиться. И вообще, коней на переправе не стоит менять.

Она помолчала, задумчиво вертя стакан с «Кровавой Мэри».

— Может, ты и права.

— На мой взгляд, нам сейчас важно удержаться на достигнутом уровне или даже постараться повысить его, но не менять кардинально.

Она горько усмехнулась.

— Понимаешь, Фаинчик... А кстати, почему тебя назвали Фаиной? Имя редкое... В честь Раневской?

— Да нет, мамина бабушка была Фаина, мать ее обожала, ну а отцу понравилось... Хотя сама я свое имя терпеть не могу.

— Ну так назвалась бы как-то иначе.

— Теперь уже глупо, а когда получала паспорт, не додумалась. Ладно уж, доживу Фаиной.

У Аниты заверещал мобильник. Она глянула на него и расцвела.

— Да, Дмитрий Сергеевич. Нет, я не удивилась. Я сейчас на деловых переговорах. Нет, ничего. Да-да, все остается в силе. Спасибо. Очень приятно. До встречи.

— Так, его зовут Дмитрий Сергеевич!

— Фаина!

— Пока мне это ни о чем не говорит, но я буду начеку! Анита, при мне можно, но в дальнейшем...

— Я... Ты права, я просто утратила навыки... Так давно ничего такого не было... — и она еще пуще зарделась.

Вот вам и железная Анита!

— Он сказал, что ему вдруг страшно захотелось услышать мой голос.

— Он, кажется, не на шутку увлекся.

— Да, кажется... Я все перебирала в уме, может, ему от меня что-то нужно?

— Ну, я ж не знаю, кто он такой, чем занимается. Может, и нужно.

— На первый взгляд это нереально. Он совсем-совсем из другого мира... Но, может, он просто посредник...

— Анита, сию минуту прекрати этот бред! Ты вроде никогда не страдала комплексом неполноценности! По-твоему, в тебя нельзя просто влюбиться?

— А можно? — ее улыбка была какой-то беспомощной и даже наивной.

— Еще как! Мой отец один раз увидел тебя по телеку и сказал: «Прелесть женщина! Штучная штучка!»

— Штучная штучка?

— В его устах это высочайший комплимент.

— Что ж, приму к сведению и буду помнить, что я штучная штучка.

— Между прочим, он и про меня так говорит.

— А две штучные штучки — это еще не тираж, правда?

— Конечно, тем более что мы абсолютно непохожи, — засмеялась я. — Ладно, Анита, давай вернемся к нашим баранам.

И мы заговорили о делах. Она дала мне еще три дня, чтобы забрать машину и как следует подготовиться к напряженной жизни деловой женщины в период наступления кризиса.

Машину мне обещали пригнать завтра, тогда я и начну закупать продукты на неделю и восстанавливать необходимые запасы масла, круп, соли, спичек, шампуней, стирального порошка.

Когда я подъехала к дому, лужи уже не было. А через остатки ее была проложена доска. Темно-коричневого джипа тоже не было. А жаль... Вспомнив свое ощущение от близости небритой щеки, я вздрогнула. И тут же обозвала себя дурой.

В подъезде у лифта стояла очень пожилая дама. Назвать ее старухой ни у кого не повернулся бы язык. Она была хорошо одета, ухожена и даже красива. Прежде я никогда ее не видела. В руках она держала связку ключей и газеты.

— Боюсь, что лифт не работает, — сказала она приятным низким голосом.

Я прислушалась. Ну конечно, это на восьмом этаже Танька Евлампиева болтает, провожая очередную подружку.

— Нет, тут дело в другом. Заранее прошу прощения, — сказала я и забарабанила по дверям лифта.

Он почти сразу поехал вниз.

— Что это? — удивленно спросила дама.

— Да тут на восьмом этаже живет одна девушка...

— А вы тоже здесь живете? Я никогда прежде вас не видела...

Двери лифта разъехались, и оттуда вышла женщина.

— Извините, ради бога, я давно хотела уехать, но Таня все говорит и говорит. Простите еще раз.

— А вы тут старожил, как я погляжу, — улыбнулась пожилая дама...

— А вы случайно не из сорок восьмой квартиры?

— Да. Совершенно верно, а вы...

— А я ваша соседка, из сорок седьмой.

— О, очень приятно!

Мы вышли на своем этаже.

— Что ж, давайте познакомимся, меня зовут Мария Ипполитовна.

— А я Фаина.

— А по отчеству?

— Витальевна. Но это лишнее.

— Как угодно. А вы, Фаина, живете одна?

— Да.

— Вы такая красавица...

— Спасибо.

— Фаина, я тоже большую часть года живу одна. Милости прошу, заходите в гости, когда захочется.

— И вы тоже.

— Нет, моя дорогая, вы еще молоды, у вас могут и должны быть кавалеры, и я ни в коем случае не хочу мешать. А может, сейчас прямо и зайдете для знакомства? Угощу вас отличным кофе.

— О, спасибо, я с удовольствием.

Она мне ужасно нравилась, к тому же я была счастлива, что новая соседка оказалась именно такой.

Квартиру Тины нельзя было узнать. Здесь все было красиво, стильно, но на совсем другой, интеллигентный манер. Весь коридор был заставлен книгами. В гостиной мебель красного дерева, множество фотографий. Несколько картин.

— Это Фальк? — спросила я, приглядевшись к прелестному портрету.

— О! Вы знаете живопись?

— Да нет... Только в общих чертах.

— Тем не менее это действительно Фальк. Портрет моей матери.

— С ума сойти. У вас очень красиво.

— Вам нравится? Это приятно. А то сыновья меня не понимают. Мне эту квартиру купили сыновья. У меня их трое, — с гордостью произнесла Мария Ипполитовна. — Они предлагали мне квартиру в новом шикарном доме, где-то в новом районе, но я не захотела. С меня вполне хватит этой трехкомнатной, зато здесь в соседнем доме живет моя лучшая подруга. А в нашем возрасте это так важно. Сыновья в Москве не живут. Поэтому я и хотела трехкомнатную: две мне, а одну для гостей. Ох, что это я разболталась... Вы какой кофе хотите? У меня роскошная кофеварка. Можно капуччино, латте, можно просто...

— Латте, если не сложно, — улыбнулась я. Хозяйка так радушно хлопотала у кофеварки.

— О, я тоже обожаю латте. Странно, в России всегда ударение ставят на последнем слоге, а слово-то итальянское и по-хорошему надо говорить ла́тте.

— Да, вы правы. Я хорошо знаю итальянский, но в Москве говорят латте́. Пробовала правильно говорить, но на меня смотрят как на придурочную, — засмеялась я.

— Ну, это все-таки лучше, чем каждый день по телевизору слышать, как говорят вклю́чим, банты́, шарфы́, торты́, и этот ужас — крема́. Откуда это, деточка?

— А вот оттуда, из телевизора в значительной степени.

— Знаете, я очень люблю детективные фильмы и каждый день смотрю сериал «След». Знаете?

— Я не смотрю.

— Там все время говорят «вклю́чим», «вклю́чишь». Неужто там нет грамотного редактора?

— По-видимому, там нет никого грамотного. Если бы режиссер хоть раз сказал артистам, как надо говорить, было бы нормально.

— А артистов этому разве не учат?

— Боюсь, что те, кто их учит, и сами уже этого не знают. Когда я работала в журнале, наша шефиня сразу сказала всем сотрудникам, что за неверные ударения первый раз будет делать замечания, а потом штрафовать. Быстренько все научились.

— Но вы сказали, что работали, в прошедшем времени.

— Я на полгода уехала к отцу в Италию. Думала там выйти замуж и остаться, но не смогла. И вот через три дня возвращаюсь в журнал.

— О, а у меня один сын тоже живет в Италии, на Сицилии. Он женат на итальянской графине. И преподает там в университете. Знаете, с ним была забавная история, я всем ее рассказываю...

В этот момент зазвонил телефон.

Мария Ипполитовна взяла трубку.

— Да, Грета. Да, разумеется. О чем ты говоришь? Какое алиби? И не кричи, я этого не выношу! Нет, я не стану тебя разубеждать! Все. В таком тоне я разговаривать не желаю. — Она в сердцах швырнула трубку. — Простите, Фаина! Это моя невестка...

— Итальянская графиня? — улыбнулась я.

— Нет. Другая. Один мой сын живет в Италии, другой в Германии, а третий в Канаде. Вот так их разбросало.

— И вам ни с одним из них не хотелось бы жить?

— Почему вы так удивляетесь? Я еще не разваливаюсь. И не хочу мешать сыновьям. К тому же ни одна из невесток мне не нравится настолько, чтобы выносить ее больше двух недель в год. Я каждый год навещаю сыновей, живу две недели — и достаточно.

— Здорово! — восхитилась я. — А внуки у вас есть?

— В Канаде двое. Два парня, десять и двенадцать. Младший уж там родился. Они плохо говорят по-русски, и вообще... какие-то чужие. Это воспитание матери, сыну некогда, а она... Противная баба. — Пожилая дама скорчила такую гримаску, что я прыснула.

— Простите, Фаиночка, что при вас... Но, знаете, у меня такое ощущение, что мы давно знакомы. Мне с вами удивительно легко.

— Мне с вами тоже, — искренне проговорила я. — И кофе у вас потрясающий.

— Фаина, вы играете в карты?

— В карты? Ну так, слегка.

— А во что?

— В преферанс не играю. Немножко играла в бридж, но для меня это сложно. В покер тоже...

— Замечательно! У меня есть карточная компания, но одна дама выпала по причине чрезмерного увлечения ролью бабушки. Может, вы замените ее?

— О, боюсь, что я испорчу все дело. Никогда всерьез не играла.

— Вы думаете, три старые перечницы играют очень уж всерьез? — улыбнулась Мария Ипполитовна.

— Не знаю. Но я ведь на днях выхожу на работу, а у нас такая работа, что редко вечера свободны...

Я вдруг запаниковала. Мне показалось, что новая соседка как-то вдруг забирает надо мной власть, вот уже хочет приспособить меня в карты играть, потом заставит отбивать какого-нибудь сына у недостойной невестки...

— Простите, я...

— Не волнуйтесь, деточка, нет так нет, никаких обид. Просто ничего не значащее предложение. Забудьте о нем. Я против всякого принуждения. А кофе еще хотите?

— Нет, спасибо, достаточно. А то дело уже к вечеру, боюсь, не засну.

— В вашем-то возрасте?

— Возраст уже достаточный.

— Ерунда. Сколько вам? Лет двадцать семь — двадцать восемь, самое большее?

— Тридцать шесть через три месяца стукнет.

— Да, совсем старуха, но хорошо сохранившаяся, — неожиданно звонко рассмеялась она.

— Спасибо вам огромное, Мария Ипполитовна. Я ужасно рада, что у меня такая соседка. Но мне пора.

— Я тоже в восторге от такого соседства. Что ж, пора так пора. Задерживать не стану. Но в любой момент милости прошу.

— Спасибо, огромное спасибо!

И только уже ложась спать, я вспомнила, что она так и не рассказала мне забавную историю, случившуюся с мужем итальянской графини.

Я подъехала к редакции за полчаса до начала рабочего дня, как мы и договорились с Анитой. Охранник был новый. Почему-то мне стало неуютно...

— Вы к кому, дамочка?

— Я Фаина Крупенина.

— И чего?

— Меня ждет Анита Александровна.

— Так рано ж еще.

— Мы договорились именно на этот час.

— Ничего не знаю.

Я взбесилась. Набрала номер Аниты.

— Анита, я внизу, а новый охранник не пускает.

— Дай ему трубку.

— И не подумаю. Не хватало еще, чтобы он трогал мой телефон своими сальными руками.

Анита фыркнула. И тут же у охранника раздался звонок.

— Слушаю, Анита Александровна. Будет сделано. Всенепременно, Анита Александровна. —

Он положил трубку. Вытянул руки по швам, отдал честь. — Прошу прощения, Фаина Витальевна, — по-военному отчеканил он.

Я не удостоила его даже кивка. Просто молча прошла к лифту. Мне ужасно не понравился этот тип. Злобный подобострастный солдафон, готовый хоть на посту охранника женского журнала проявить свою маленькую хамскую власть. Все это я высказала Аните.

— Ты безусловно права, — признала она.

— А куда девались Леша и Виктор?

— Их уволила Лариса.

— Какая Лариса?

— Была тут одна... Мне ее так рекомендовали... Ретиво взялась.

— И она, как я понимаю, тоже не справилась?

— Конечно. Абсолютно. Во-первых, она безграмотная. А во-вторых, злая. Я ее уволила. Она так орала...

— Ладно, уволила и слава богу. Давай-ка займемся конкретикой.

— Давай, пока все не пришли. То-то они удивятся...

— А ты их не предупредила?

— Нет. Решила сделать сюрприз.

Тут у нее зазвонил мобильник. Она просияла. Я поняла, что звонит Дмитрий Сергеевич. И деликатно вышла из кабинета. Мне захотелось пройтись по редакции. Я поняла вдруг, как скучала по этой работе. Внешне мало что изменилось. Вот только запах в коридоре стоял какой-то незнакомый. И он мне не нравился. Почему-то вдруг показалось, что вряд ли я смогу второй раз войти в эту реку. Или все дело в хамоватом охраннике?

Я вернулась к Аните.

— Извини, — сказала она смущенно.

— Ничего, я рада за тебя, Анита. А где же портрет Ягудина? — вдруг сообразила я.

В приемной уже давно висел портрет фигуриста Алексея Ягудина, которого обожала Анитина секретарша Юля.

— Так Юлька уволилась.

— Почему?

— Рожать собралась.

— А, — с облегчением вздохнула я.

— Сейчас у меня секретарша тоже неплохая. Но не Юлька.

— Так, может, Юлька родит и вернется?

— Смеешься? Разве можно работать у нас и растить ребенка? Нонсенс. Тем более моему секретарю.

— Тоже верно.

— Новую зовут Светлана, и она не признает никаких ласкательно-уменьшительных. И вообще у нее плохо с чувством юмора. Но работает хорошо. Два языка и виртуозный компьютер.

— Лучше бы один язык и чувство юмора, — заметила я.

— Лучше, кто спорит. Но она счастлива работать в нашем журнале.

— Где ты ее взяла?

— На телевидении.

— А!

Мое появление было встречено неоднозначно. Некоторые обрадовались, но таких оказалось меньшинство. Было пять новых лиц. Они отнеслись ко мне настороженно. А кое-кто явно с неудовольствием, хотя раньше у меня со всеми были вроде бы неплохие отношения. Я раздала всем привезенные сувениры, включая и вовсе незнакомых.

Анита представила меня и умчалась на съемки.

— Фаин, а можно вопрос? — спросила модный эксперт Валя.

— Ради бога, Эстерсита!

— О, ты помнишь еще это дурацкое прозвище?

— Тебе же нравилось раньше. Дело хозяйское, Валечка. Так какой вопрос?

— А что, у тебя в Италии с замужеством не выгорело?

— Не выгорело, — притворно вздохнула я, прекрасно сознавая, что если я скажу, что сама послала своего жениха, то мне просто не поверят и будут шептаться за моей спиной. А так все ясно: мне не повезло, как и большинству из них.

— А где Лида? — спросила я.

— В отпуске.

Мне выделили хоть и малюсенький, но отдельный кабинет, также выходивший в приемную Аниты. И новой секретарше Светлане велено было в отсутствие Аниты быть и моим секретарем.

Вот уже третий день я разгребала накопившиеся дела. Иногда у меня волосы вставали дыбом. Нельзя сказать, что у нас и раньше не случалось авралов, завалов, катастроф местного значения, но это были только цветочки.

— Фаина Витальевна, звонят из издательства «Неон», требуют Аниту Александровну.

— Скажи, что ее нет.

— Сказала. Требуют вас.

— Хорошо, соедини.

— Фаина? — спросил незнакомый женский голос.

— Да. Слушаю вас.

— Фаина, что за дела?

— Простите, а кто говорит?

— Я пиар-директор издательства «Неон». Ольга Евстратова.

— Что случилось, Ольга?

— Случилось черт знает что!

— А если поточнее?

— У вас в последнем номере опубликовано интервью с писательницей Севастьяновой. Я уж не говорю, как безобразно оно написано, это раз, а главное, ваши сотрудницы предложили писательнице порекомендовать читателям чужие кулинарные рецепты, но они ей не понравились, она отказалась их рекомендовать. Это ее право, тем более, что она и сама выпустила кулинарную книгу.

— И что?

— Пока еще ничего, а вот дальше...

— Что дальше, не тяните резину! — не выдержала я.

— Эта писательница — дама полная, и ваши девицы попросили ее дать советы, как одеваться полным женщинам.

— И она обиделась?

— Она не такая дура! Она прочла то, что они ей подсунули, и категорически отказалась это подписывать. Сказала, что может дать советы, но в соответствии со своими представлениями.

— Ну, может, ее представления...

— У нее-то как раз нормальные представления. Вот, не верите, посудите сами: они пишут, что полным женщинам ни в коем случае нельзя надевать цельные черные купальники, а надо раздельные в мелкий цветочек.

— Что? — задохнулась я.

— Вот-вот. Все советы были такие.

— И они это напечатали в своем варианте?

— Именно! Ну, про купальник убрали, но все остальное! К тому же якобы ее совет звучит так: ни в коем случае никаких балахонов — и тут же фотография писательницы именно в балахоне. Да еще фотографию поместили, которую она запретила публиковать.

— Быть не может!

— Фаина, зачем мне терять время на вранье?

— Оставьте мне ваши координаты, я разберусь. А писательница что, требует опровержения?

— Хотелось бы. Но она знает, что вы если и напечатаете опровержение, то в такой заднице, что никто этого и не заметит. Но я вас предупреждаю, что издательство не будет иметь с журналом больше никаких дел.

— Ольга, погодите, я только три дня, как вернулась к работе, еще ничего не знаю, но разберусь, будьте уверены.

Меня трясло. Такого у нас еще не бывало. Это практика самых захудалых дешевых журнальчиков.

— Светлана, быстро дай мне последний номер.

Она пулей влетела в кабинет с журналом в руках.

— Вот!

— Спасибо.

Надо сказать, что новая секретарша работала отлично.

Я нашла нужный разворот. Фотографии и впрямь были кошмарные. Из пяти только две отвечали нашим стандартам. Я пробежала глазами отдельно напечатанные рекомендации полным женщинам. Такие рекомендации мог дать только совершенно ничего не понимающий идиот.

— Эстерсита, зайди ко мне.

Она появилась быстро.

— Что, Фаин?

— Ты это видела? — я ткнула пальцем в рекомендации.

— Нет, а что? Ой, мама! Ну, если эта тетка так думает...

— В том-то и дело, что она так не думает! Так думает какая-то идиотка у нас в журнале. Кто это сделал?

— Ну не я же!

— А кто?

— Спроси у Дины. Это она занимается советами.

— Спрошу, не сомневайся.

Дина была молоденькая девушка из новеньких. Она явилась в кабинет бледная.

— Что случилось, Фаина?

— Это твое художество?

— Да, то есть я просто записала, что говорила эта тетка.

— Это все дословно записано?

— Да.

— А там, кажется, был еще пассаж о купальниках?

— Ну, она сказала, что считает, будто полным лучше надевать купальники с юбочкой. Хрень какая-то!

— А ты, значит, полагаешь, что полным женщинам надо вывешивать свои жиры между трусами и лифчиком раздельного купальника в мелкий цветочек? А заодно и обтягиваться и не носить черного, не носить свободных платьев?

— Так это не я, а эта тетка...

— А ты как считаешь?

— Фаина Витальевна, я не понимаю...

— А ты понимаешь, что не имеешь права чужим именем подписывать свои идиотские соображения? Ты уволена.

— Уволена?

— Да. Этот репортаж позор нашего журнала. К тому же с нами грозит разорвать отношения крупное издательство. А это несравнимо большая потеря для журнала, чем ты. Приходится выбирать. И выбор явно не в твою пользу.

— Фаина Витальевна, но я же не виновата!

— Да? А кто виноват?

— Ну чего эта тетка расскандалилась? Мы вот брали интервью у ихней писательницы Мыловой, ну я ей предложила рецепты, она не глядя подмахнула. А эта выпендривается.

— Мылова? Мы печатали интервью с Мыловой? — озверела я.

— Да, а что?

— О боже! А куда смотрит Анита? Она давала разрешение на Мылову?

— Нет, это Лариса Вадимовна...

— Это интервью уже вышло?

— В следующем номере...

— И Анита это подписала?

— Номер подписан в печать.

— Все!

— Что все? Вы ведь не уволите меня?

— Уже уволила.

— Ну и ладно! Тоже мне, фря итальянская! Вас жених бросил, и вы на мне зло срываете! Ничего, вы тут тоже не задержитесь.

— Светлана, немедленно подготовь приказ об увольнении за профнепригодность. И пусть не отрабатывает две недели. Отпуск оплатить и вон! Чтобы не шаталась по редакции.

— Ну, вы круто... — с восхищением заметила Светлана.

— И так будет со всяким, что низводит наш журнал до уровня дешевого сортирного чтива!

Под вечер, когда я уже ничего не соображала, позвонила Анита.

— Фаинчик, что там стряслось?

— Ты в курсе, что у нас печатают интервью с Мыловой?

— Что? Не может быть!

— В следующем номере. Я уж не говорю о новом стиле работы, из-за которого приходится краснеть перед приличными людьми и терять очень выгодных партнеров.

— Погоди, я что-то не понимаю...

— Давай не по телефону.

— Хорошо.

— И ты ее уволила? — спросила Анита, глотнув сельдерейно-огуречного сока.

— Да. Она не годится для нашего журнала.

— Но для начала ее надо было бы предупредить, а потом уж...

— Анита, ты дала мне все полномочия. Ну если мы печатаем интервью с Мыловой, это уж... Дальше и падать некуда.

— Его еще не поздно снять?

— Анита, ты что, не подписывала номер?

— Подписывала. Сама не знаю, как я пропустила... Голова, видно, не тем была занята. Я чувствовала, что теряю ориентиры... Телевидение забирает столько времени, а ты уехала...

— Послушай, ты должна определиться, что для тебя важнее — журнал, твое истинное детище, или временное пребывание на экране. Передачу в любой момент могут закрыть, на дворе кризис, а журнал без тебя гибнет.

— Я понимаю, хотя у нас поднялись тиражи.

— За счет снижения планки?

— Да нет, конечно, за счет телевидения. Думаешь, почему я так на тебя рассчитываю? Меня на все не хватает, а вдвоем мы справимся.

— Попробуем, но тогда не удивляйся, что я уволила эту наглячку.

— Понимаешь, от нее может быть много вони... У нее мамаша в Думе...

— Кто тебе ее подсунул?

— Да Лариска, будь она неладна.

— То есть ты ее на работу не принимала?

— Нет. Ее брала Лариска.

— А твои глаза где были?

— Сама знаешь.

— Да... И много у тебя тех, кого взяла Лариса?

— Нет, еще только Жорик, стилист. Но он гений, это я тебе со всей ответственностью говорю.

— Уже легче.

— Фаинчик, ну что ты так сердишься?

— Я просто не понимаю, что с тобой случилось? Ведь ты сама создала журнал, сама установила, казалось бы, незыблемые принципы, и вдруг... Я помню, как ты толковую, умную девушку не взяла из-за неправильного маникюра, а теперь...

— Что-то я устала... Знаешь, уход мужа, кризис среднего возраста, телевидение... И потом, ты же всегда отказывалась появляться на светских тусовках, а я должна... Вот и укатали сивку крутые горки. Прости. В самом деле, действуй, как считаешь нужным. Кстати, на место Дины надо кого-то взять...

— Я даже знаю кого.

— Вот и отлично, действуй!

— Анита, ты мне не нравишься. Я многое могу взять на себя, но я не готова просто заменить тебя во всем, может, лучше продать журнал, пока не поздно? Пока он еще котируется? Переживем кризис, тогда можно придумать что-то свежее, хотя и во время кризиса свежие идеи могут заинтересовать многих...

— Нет, невозможно! Я столько сил потратила, налаживая связи, и вышла на самый высокий уровень, со мной считаются, у меня имя... Второй раз мне не потянуть. Меня будут считать «сбитым летчиком», ты же знаешь нашу тусовку.

— Господи, как я это ненавижу!

— Фаина, ты меня не бросишь?

— Анита, ты что, так влюблена, да?

— При чем тут это? — ахнула она.

— А при том, что еще недавно, в Риме, ты говорила совершенно иначе.

— Да? Может быть... — задумчиво произнесла она. — Мне сорок пять, я лучшие годы ухлопала на свое становление, на журнал, проморгала мужа, проморгала сына... А теперь, когда, казалось бы, добилась всего, чего хотела, все мои мысли занимает этот немолодой мужик...

— Обалдеть! Я всегда считала, что ты слишком рассудочная и рациональная... Но постой, ведь Дмитрия Сергеевича ты встретила недавно, а номер с Мыловой...

— Я подписала его в день прилета. То есть через три дня после знакомства, — засмеялась Анита. — Ладно, если кто-то меня спросит, как я могла до такого опуститься, я скажу, что это просто эпатаж. Пусть все увидят ее низкопробную безвкусицу. Уверяю тебя, Фаинчик, это будет бомба — среди изысканной красоты этот непристойный китч. Да все ее недостатки еще ярче высветятся. А тусовка воспримет это как прикол! — внезапно воодушевилась Анита.

— Ну ты даешь! Теперь я вижу прежнюю Аниту. Может, ты и права! Но только если это будет единичный случай, а не правило.

— А ты на что?

Мне осталось только рассмеяться.

Домой добралась поздно. И столкнулась у лифта с Марией Ипполитовной.

— Добрый вечер! — обрадовалась я.

— Фаиночка, вы с работы? В такое время? Вы совсем бледненькая.

— Очень тяжелый день был.

— Пойдемте ко мне. Угощу вас чаем с удивительными конфетами. Посидите полчасика, расслабитесь, отвлечетесь и скорее уснете.

— Спасибо, я с радостью, а то дома начну все прокручивать в башке и не усну.

В ее квартире я как-то сразу почувствовала облегчение. Чай и конфеты и вправду оказались чудесными.

— Ну вот, — она вдруг погладила меня по голове. — Уже другой вид. А хотите посмотреть на моих мальчиков?

— Каких мальчиков? — не сообразила я.

— Сыновей. Какие ж у меня могут быть еще мальчики?

— Ах да, простите. Конечно, хочу.

Она принесла альбом.

— Вот, это старший, Леонид, какой красавец, правда?

В самом деле, с фотографии на меня смотрел очень красивый, совершенно седой мужчина лет пятидесяти.

— Да уж!

— Он живет в Германии, в Кельне, и у него кошмарно ревнивая жена Грета.

— А чем он занимается?

— Он врач, детский хирург.

— О!

— Он нелегко пробивался, но теперь у него большое имя в Европе. А вот это Миша, средний, он живет в Канаде, художник-мультипликатор, однажды получил Оскара. А это его сыновья, Дэн и Кен.

— Тоже красивый мужчина.

— А вот это мой младший, Степан. Красотой не блещет, но ведь для мужчины это не важно, правда?

Она протянула мне снимок, и я чуть не вскрикнула. Это был тот самый небритый мужик, что перенес меня через лужу.

— Интересное лицо. А он всегда небритый?

— Да нет, просто не любит бриться, а сейчас мода позволяет, знаете, трехдневная щетина... Я этого терпеть не могу, я уж сказала ему, лучше бы ты бороду носил, а бороду он не хочет.

Я огорчилась. Как будто потеряла его навсегда. Но я ведь и не находила его. Тогда почему защемило сердце?

— Мария Ипполитовна, в день нашего знакомства вы хотели рассказать какую-то забавную историю, связанную с этим вашим сыном, это ведь он женат на итальянской графине?

— Забавную историю? Ах да, конечно! — улыбнулась пожилая дама. — Дело в том, что когда Степа женился на Эрне, они поселились на Сицилии, там у Эрны большой дом и усадьба, Степу взяли преподавать в тамошний университет. То есть все как будто устроилось хорошо, и род Эрны — старый сицилийский род, очень почитаемый, но Степу там как-то не приняли. Чужак. Ему на это было в общем-то наплевать, никто его не трогает — и ладно. И вот у них случился какой-то праздник. Они с Эрной пошли на этот праздник, и там было много тиров, а Степа замечательно стреляет, был даже чемпионом России по стендовой стрельбе. И он выиграл на этом празднике ну все, что только возможно. Победил во всех тирах. Получил кучу каких-то призов, которые раздал там же на празднике. Порадовался, посмеялся и пошел домой. И вдруг на следующий день он утром идет на работу, и все с ним здороваются, притом очень и очень почтительно. Все, кто раньше его не замечал, приветствуют его радостными улыбками. Он стал местной знаменитостью. Его признали за своего. Здорово стреляет, значит, настоящий сицилиец.

— Да, действительно забавно.

— А почему вы так смотрите, он вам понравился?

— Интересное лицо. К тому же я, кажется, видела его здесь...

— Возможно, он на днях был проездом в Москве.

— А чем он занимается?

— Он ученый, биолог.

— Совсем не похож на ученого.

— Правда, он похож на киношного русского мафиози, особенно с этой щетиной. Но он чудный человек.

— А его графиня?

— Из трех невесток самая приемлемая.

— Красивая?

— Нет, но довольно миловидная и умная.

— А детей у них нет?

— Нет. Не получаются у них дети. Но они не страдают, насколько я понимаю. Они хорошо живут.

— Слава богу.

— Фаина, душенька, а почему же вы не замужем?

— Была. Даже дважды. А потом полюбила одного человека, но безответно... Я на что-то всетаки надеялась, а он возьми и влюбись без памяти в другую... Я видела, как он мучается, что-то там не срасталось у них, какие-то непонятки... Ну я и сделала ему подарок. Купила билет в Мюнхен, к ней. И послала на работу, анонимно. А он решил, что это она таким образом зовет его, и полетел... И у них сладилось... А я уехала к отцу в Италию. И собралась выйти замуж... Но вовремя поняла, что это не мой человек. И вернулась в Москву.

— И сейчас у вас никого нет?

— Нет. Мне не до того сейчас. Рано или поздно я встречу своего человека... А нет, значит, не судьба.

— Что за чепуха! Вы такая красоточка... Какие ресницы, а кожа... С ума сойти, какая кожа, да и вообще... Я убеждена, скоро вы встретите своего мужчину!

С того вечера мы с Марией Ипполитовной подружились. Я частенько пила у нее чай, а в выходные приглашала ее в какой-нибудь ресторанчик или кафе пообедать. Самой мне готовить было некогда, да и лень, а старушка очень любила эти наши вылазки. Она была великолепно образованна, остра на язык и очень забавно недоумевала по поводу современных нравов. Частенько огорошивала меня вопросами:

— Дружочек, скажите мне, я вот прочла за сравнительно короткий срок несколько книг каких-то милых молодых дам с хорошими лицами, я видела их по телевизору, а моя подруга работает в издательстве, которое это печатает. Мне стало интересно. И знаете, что я вынесла из этого небольшого пласта современной литературы? Что главное счастье в этой жизни — сумка «Биркин». Что это за сумка такая, можете мне объяснить?

4-1474и

— О, это не сумка, это символ. За этими сумками многолетние очереди... Их носит английская королева.

— И сколько это счастье стоит?

— Даже сказать страшно.

— И все же?

— Примерно тридцать пять тысяч евро.

— Что? Это шутка?

— Нет, истинная правда.

— Обалдеть! Другого слова я не подберу. Но это же неприлично... И дамы, которые этим владеют, называются светскими? Что же это за высший свет? Я не понимаю!

И вдруг меня осенило.

— Мария Ипполитовна, у меня возникла одна идея, может быть, авантюрная...

— Обожаю авантюрные идеи!

— А что, если в нашем журнале создать новую колонку — «Недоумения истинной леди»? Вы бы не согласились?

— Вести колонку? — ахнула она.

— Ну да! У вас все время возникают какие-то недоумения, вот и пишите о них. Вы же владеете пером, столько лет работали литературным пете пером, столько лет работали литературным переводчиком, да и я помогу? Это будет бомба! Насколько мне известно, ни у кого нет ничего подобного.

— Фаина! Это же так интересно! — она зарделась, глаза засверкали.

— То есть вы в принципе согласны?

— Да! Да! Только не надо «истинной»! В этом слове слишком много назидания. Нет, лучше назвать так: «Недоумения престарелой дамы».

— Нет, все-таки «леди» лучше. И вы правы. «Недоумения престарелой леди». Блеск! Я вас обожаю!

— Думаете, у нас получится?

— Уверена! Это будет свежо, забавно, прелесть просто.

— И вы полагаете, ваше начальство на это пойдет?

— Я очень надеюсь. Но давайте не откладывать в долгий ящик. Напишите две странички о чем хотите, можно начать хоть с этих долбаных сумок.

— А вам хотелось бы иметь такую сумку?

— Да боже меня упаси.

— А если бы богатый поклонник вам такую подарил?

— Я бы сочла, что он дурак и фанфарон. Такие деньги тратить на черт знает что. Лучше бы подарил новую машину.

— О! Фаина, я уже хочу писать! Да, и еще вопрос?

— Я сама вам скажу: за это будут платить. Сколько, я пока не знаю, но не вовсе гроши.

— Тогда поедемте скорее домой. И я возьмусь за дело. Но пока вы не прочтете мой опус, ничего вашему начальству не говорите!

— Конечно, не волнуйтесь, Мария Ипполитовна.

Буквально на другой день Мария Ипполитовна вызвала меня к себе.

— Душенька, я тут накропала, прочтите и не судите слишком строго, это первый блин.

Блин оказался просто великолепным. Мягкая ирония, блестящий слог, уморительно смешной подход к теме.

— Мария Ипполитовна, это блеск!

— Вы шутите?

— Какие шутки? Я просто в восторге! Надо будет сделать фотографию, слегка ретрушную...

— Какую? — не поняла старая леди.

— В стиле ретро.

— Зачем? Я и так воплощение этого стиля, — улыбнулась Мария Ипполитовна. — И вот еще что... «Недоумения престарелой леди» звучит тяжеловато. Лучше просто «старой». «Недоумения старой леди».

— Да, так лучше, вы безусловно правы.

— Фаина, я понимаю, сейчас еще рано об этом говорить... Но я бы не хотела, чтобы читатели знали мое имя. Мне это уже ни к чему.

— Ваше право. Но я в лепешку расшибусь, чтобы у нас была эта колонка. Думаю, и Анита будет в восторге.

— Анита? Это та строгая дама с безупречным вкусом?

— Да. Я сию минуту ей позвоню.

— Но сегодня воскресенье.

— Тем лучше.

— Только вы идите говорить к себе, не надо в моем присутствии. И имейте в виду, если ничего не выйдет, я не расстроюсь. Вернее, не слишком расстроюсь, по крайней мере обещаю не помереть от расстройства.

Я не стала спорить и побежала к себе, мне тоже не терпелось поделиться с Анитой. Она крайне удивилась моему звонку и даже слегка испугалась. Я звонила ей по выходным только в крайнем случае.

— Фаинчик? Что случилось?

— Анита, прости, но это срочно. Я придумала новую колонку...

Я все ей рассказала. И прочла текст, написанный Марией Ипполитовной.

— Ты можешь прислать мне это по мылу? Хотя нет, привези просто завтра в редакцию. Я приеду на полчаса раньше, ты тоже, обсудим. По-моему, мысль хорошая. Во всяком случае свежая. Ну и я еще подумаю, что тут можно убавить-прибавить.

«Убавить-прибавить» — любимое выражение Аниты, но употребляет его она, только если настроена позитивно.

Я позвонила в дверь соседки.

— Ну что? — она моментально открыла мне, как будто дежурила у двери.

Я передала ей разговор с Анитой.

— Неужели получится?

— Уверена.

— Вот так, легко и просто?

— Да, такое случается иногда в жизни.

— Фаина, если получится, я закачу вам феерический ужин!

— Да уж, я надеюсь, — засмеялась я. — Должна же я попробовать ваши знаменитые пирожные. А то все только слышу!

— Непременно, непременно, дружочек. А скажите, как часто надо писать эти колонки?

— Раз в месяц.

— О! Это не страшно. Фаина, я в восторге!

Пробежав глазами текст, Анита широко улыбнулась.

— Фаинчик, ты гений!

— Это не я писала.

— Но идея-то твоя, и она поистине гениальна. Сейчас, когда гламур в прежнем понимании приказал долго жить, это именно то, что надо!

— Но ведь придется какую-то колонку убрать.

— Я бы с восторгом пожертвовала своей, но я главный редактор...

— Я бы убрала медицинскую. Ей у нас не место.

— Ты всегда была против нее, но...

— Анита, я считаю, это несерьезно. Медицина в нашем журнале, а тем более в кризис.

— При чем тут кризис?

— При том, что все советы нашего доктора уж больно дорого стоят.

Анита задумчиво смотрела на меня.

— Пожалуй, ты права...

Сказать по правде, я терпеть не могла доктора, который вел колонку в нашем журнале. На редкость противный и самовлюбленный тип. К тому же уверенный в своей мужской неотразимости. Я как-то попросила у него совета, у меня болело горло. И он почему-то испугался... А потом посоветовал неимоверно дорогое лекарство фирмы, которую представляет. Нет уж, спасибо, я обошлась добрым старым фалиминтом. Но ему с тех пор не верю.

— Знаешь, я подумала, пожалуй, мы можем оставить доктора и впендюрить новую колонку. Конечно, Валерик душу из нас вынет, но ничего, не впервой.

— Тебе виднее.

Анита не любит портить отношения с влиятельными людьми, а за этим чертовым эскулапом стояли весьма важные персоны.

— Не расстраивайся, Фаинчик, я за эту старушку буду стоять насмерть.

— Ну и отлично!

Из Рима вернулись тетя Соня с дядей Юликом, посвежевшие, отдохнувшие.

— Ах, деточка, Карлотта все еще сердится на тебя, — доложила тетя Соня, когда я пришла к ним на ужин. — Виталик посмеивается только, а она не на шутку взъярилась, даже странно. Наверное, у нее был какой-то свой интерес в этом браке.

— Господи, какой? Кто я такая? Что у меня есть?

— Тем не менее... Мне так показалось.

— Мне, кстати, тоже, — заметил обычно очень молчаливый дядя Юлик.

— А с папой ты это обсуждала? — поинтересовалась я.

— Как-то не получилось.

— Почему это меня никто не спрашивает? — вдруг подал голос Федя.

— Что? — уставились на него родители.

— Вы все дурные, что ли? Я как этого Серджио увидал, сразу просек. Он же голубой!

— Что за чушь! — вспыхнула я. — Ничего он не голубой, я знаю!

— Нет, голубой, но, как говорится, двустволка!

— Федя! — всплеснула руками тетя Соня.

— Ладно, бисексуал. Или даже просто латентный гомик, и его тетушка решила, что брак с Фаиной пресечет все толки. А не вышло, вот она и злится.

— Не может быть, чтобы папа это знал...

— Ах боже мой, Виталик такими вещами совершенно не интересуется, — воскликнула тетя Соня. — Он мог и не понять, а Карлотта молчала...

Я глубоко задумалась.

— Что ты сидишь, как идиотка? — набросился на меня Федька. — Скажи спасибо Аните, что она вытащила тебя из этой хрени, зачем тебе муж пидор?

— Федор! — постучала по столу тетя Соня.

— А может, ты и прав... Я вспоминаю какие-то мелочи... Какой-то нездоровый интерес к шмоткам...

— В наше время это не признак. А я видел, как у него загорелись глаза, когда мы были в кабаре и там выступал невероятный красавец-мулат. Точно так же, как у Карлотты и у мамы.

— Что ты несешь! — возмутилась тетя Соня.

— Правду!

— Ах боже мой, если все так, то это счастье!

— Что счастье? — в один голос спросили отец и сын.

— Что Фаинка его послала в задницу!

— Сонечка, точнее не скажешь! — нежно засмеялся дядя Юлик.

— Ой, я ничего такого не имела в виду! — покраснела тетя Соня. — Да ну вас! Короче, спасибо Аните!

Не Аните, а Цицерону, подумала я про себя.

Между тем настала осень. Вышел номер с колонкой «Недоумения старой леди», которая имела просто невероятный успех. Нам постоянно звонили в надежде узнать, кто же это, поздравляли с находкой, пытались язвить, мол, журнал теперь ориентируется на старушек, но финансовые показатели говорили сами за себя. Этот номер расхватали втрое быстрее прежних. Всем было любопытно прочитать новую, столь необычную колонку. Строилось множество догадок, кто за этим кроется.

Анита ликовала.

— Фаинчик, ты гений!

Однако не все в журнале радовались. Кое-кто полагал, будто пишу эти колонки я, что многим было поперек горла. Что-то поменялось в атмосфере коллектива. Это уже не была сплоченная команда. Но кто стал паршивой овцой, заразившей все стадо, я еще не разобралась. И это портило настроение. Зато Мария Ипполитовна была просто счастлива.

— Кто бы мог подумать, что в моем возрасте, а мне худо-бедно скоро стукнет семьдесят пять, можно начать новую жизнь!

— А ваши сыновья уже в курсе? — полюбопытствовала я как-то вечером.

— Да, но, что интересно, они все почему-то недовольны. Странно, право. Я думала, обрадуются. Ничуть не бывало! Леонид сразу озаботился: «Мама, тебе не хватает денег?» Мишка хмыкнул и сказал: «Мать, ты просто дурью маешься». Правда, со Степой я не говорила, а Эрна меня поддержала. Она умная. И все же это странно, вы не находите?

— Нахожу, что у мужчин вообще странная логика, многим кажется, что мы все делаем, чтобы их как-то укорить... У меня второй муж такой был.

— А ваш Родион, он тоже был такой?

— Нет. А впрочем, я не знаю, мы же просто были друзьями, а это другая история...

— Простите, дружочек, я не должна была напоминать вам.

— Нет, что вы. Это уже отболело.

— Боже мой, как жаль, что мои сыновья все женаты...

Я вышла из редакции. Погода была скверная. Холодный сырой ветер швырял под ноги опавшие листья. До стоянки надо было пройти метров двести. Я пережидала поток машин, медленно и плотно ползущих по узкой улице. И вдруг услышала голос:

— Господи, как я счастлив видеть эту женщину!

Наверное, приятно, когда это относится к тебе, с тоской подумала я. Мне было горько и одиноко.

— Фаина! — раздался тот же голос. Дверца машины приоткрылась, и я узнала... Гунара.

— Садитесь скорее!

От растерянности я села.

— Куда вас отвезти?

— Никуда. У меня тут недалеко машина на стоянке.

— Ну уж нет! Я думал, никогда вас больше не увижу. А так хотелось! Даже сам не знаю почему.

— Послушайте, Гунар, я устала, хочу домой, и у меня поганое настроение.

— Ерунда! Сейчас мы поедем куда-нибудь поужинать, а потом я доставлю вас домой.

— И завтра я буду добираться на работу без машины?

— Я пришлю за вами машину. И вообще, почему вы, женщины, из всего делаете проблему? Если вы устали, голодны и раздражены, значит, прежде всего вам надо расслабиться, поесть, выпить вина и рассказать о своих неприятностях незнакомому человеку. Знаете, в какой-то детской книжке было выражение: «врачу рассказать — все равно что в шкаф шепнуть». Вот и мне...

— А где ваша жена? — огорошила я его вопросом.

— А при чем тут моя жена?

— А при том, что она, похоже, вас отслеживает. И я однажды пала жертвой этой слежки. Следовательно, знаю, что кроме жены у вас есть еще и любовница.

— Что за чушь? — растерялся он.

— Любовница у вас стриженная под мальчика шатенка?

— Я ничего не понимаю.

Я вкратце описала ему сценку, разыгравшуюся в ресторане.

— Тьфу ты, гадость какая, — страдальчески сморщился он.

— Так что сами понимаете, особой охоты поддерживать знакомство с вами нет. Это попросту опасно.

— Глупости! Вы что, сами не понимаете, что это судьба? Она в третий раз сталкивает нас...

— В третий?

— Да, встреча в ресторане, хоть и опосредованно, но тоже связана со мной. Это судьба, Фаина.

— Оставьте меня в покое. И остановите машину.

— Сидеть, это похищение!

— Гунар, зачем я вам нужна? Вы же были так счастливы там, на площади Испании, вдали от ваших баб, так зачем вам еще одна головная боль?

— Да, я был там счастлив, и в этот момент встретил вас. И вы совершенно бескорыстно пришли мне на помощь. И с того момента ассоциируетесь у меня с этим ощущением счастья, солнца, свободы. Я думал, никогда вас больше не увижу, и вдруг... К тому же, если вы помните, я тогда шел на переговоры, и они, вопреки логике и здравому смыслу, увенчались полной моей победой, я даже не смел на такое рассчитывать и приписал этот успех вам. Вы в тот день стали моим талисманом, так вы полагаете, я теперь от вас отступлюсь? Это по меньшей мере наивно. Какую кухню вы предпочитаете?

Я рассмеялась. Спорить с ним было бесполезно. К тому же он уехал уже далеко от стоянки.

— Черт с вами! А что касается кухни, то все, кроме Японии и Индии.

— Да? — обрадовался он. — А я думал, такие девушки обязательно должны любить суши.

— Терпеть не могу.

— И я! — обрадовался он. — Суши можно спокойно есть только в Японии. Там их делают действительно из свежей рыбы. На суши идет рыба, выловленная самое позднее три часа назад, через три часа она еще, конечно, свежая, но уже нуждается в тепловой обработке.

— Боже, какие познания! Вы были в Японии?

— Дважды. Но все-таки не понял...

— Чего не поняли?

— А ни фига я там не понял. Это как на другой планете. Но к черту Японию. Я знаю один очень уютный ресторанчик...

— Не называйте его вслух!

— Почему?

— Потому что ваша жена вполне могла напихать в машину жучки.

Он засмеялся, но как-то невесело.

— Ну вы и язва!

— Да просто зараза!

— Вот такая вот зараза девушка моей мечты! — пропел он.

— Мечтать не вредно.

— Вы твердо уверены, что последнее слово всегда должно остаться за вами?

— Понимаете, я один раз попыталась помалкивать, но вовремя поняла, что это может плохо кончиться, и слиняла. С тех пор...

— Мы приехали!

Он остановил машину в незнакомом переулке. Было уже темно, но неподалеку уютно светилась вывеска какого-то ресторана.

— Здесь очень вкусно кормят, тихо и наверняка не встретишь знакомых.

— Попробую вам поверить, я смертельно хочу есть. За весь день съела только одно яблоко.

— Так недолго и язву нажить. Идемте!

Мы спустились в полуподвал. Там было действительно очень уютно и красиво. И народу немного.

Гунара здесь знали. Нас провели во второй, совсем маленький, на четыре столика, зал, где не было никого, кроме нас.

— Это ресторан моего друга. Вы позволите, я сам закажу ужин?

— Нет. Вы же не знаете, что я люблю.

— Надеюсь узнать.

Я листала обширное меню.

— Но порекомендовать я хотя бы могу?

— Нет. Если мне понадобится совет, я спрошу.

— Да, тяжелый случай.

— Я вам не навязывалась.

— Тоже верно, — засмеялся он.

Я листала меню, не глядя на него. Но чувствовала, что он не сводит с меня глаз.

— Господи, какие у вас ресницы... тень на пол-лица. А глаза... А кожа... С ума сойти...

Слышать это было приятно, не скрою. Но особого волнения я не испытывала.

Подошел официант.

— Мне, пожалуйста, суп-пюре из тыквы и каре ягненка.

Гунар назаказывал много чего.

— А десерт? — спросил официант.

— Это потом, неизвестно, хватит ли сил на десерт, — сказала я.

— А пить что-нибудь будете?

— Нет, я за рулем. А вот чаю с мятой, пожалуй, принесите сразу.

Официант отошел.

— Фаина, я, кажется, впервые вижу женщину, столь определенно и четко знающую, что выбрать. Ни жеманства, ни кокетливых колебаний. Просто восторг.

— Я хочу есть, а не кокетничать.

— А знаете, чего я хочу?

— Не имею ни малейшего представления.

— Я хочу... смотреть, как вы спите.

— Я предоставлю вам такую возможность.

— Фаина! — задохнулся от восторга он.

— Не ликуйте! Вы же отвезете меня домой, а я, если не за рулем, мгновенно засыпаю в машине. Особенно после ужина.

— Фаина, какой облом! — рассмеялся он.

У меня зазвонил мобильник. Мария Ипполитовна.

— Дружочек, у вас все в порядке? Так поздно, а вы не звоните, я уж начала волноваться.

— Простите, что не позвонила, жутко замоталась. Вы меня не ждите, меня пригласили поужинать...

— О! Надеюсь, интересный мужчина?

— Ну, в общем да.

— Вы мне расскажете?

— Если будет что.

— Он рядом с вами?

— Да.

— Что ж, желаю приятного вечера.

Вечер оказался довольно приятным. Какой женщине не понравится слушать комплименты, явно искренние, от интересного, даже красивого мужчины, безусловно, не имеющего в виду никаких деловых интересов. Просто мужчина и женщина... Я давно уже не видела таких восхищенно-влюбленных глаз. И мне было с ним легко, ведь я-то не влюбилась в него. Просто чуточку оттаяла.

Он отвез меня к моей машине. Мне не хотелось давать ему свой адрес.

— Фаина, я надеюсь, мы продолжим наше знакомство...

— Зачем?

— Что значит зачем? — рассердился вдруг он.

— Гунар, спасибо за приятный вечер. Но я не люблю быть третьим номером. А возможно, и двадцать третьим.

— Всегда только первым?

— Да.

— Посмотрим, — улыбнулся он.

Утром, когда я пришла в редакцию, Светлана сообщила мне взволнованным шепотом:

— Фаина Витальевна, вам тут цветуечки прислали.

— Какие цветуечки?

— Ну, букет!

На моем столе красовался роскошный букет оранжевых роз.

— Кто прислал?

— Ну, не знаю. Там вроде записка есть, — слегка покраснела Светлана. Наверняка прочла записку.

— Ладно, я посмотрю. Анита сегодня будет?

— Нет.

Записка, конечно же, была от Гунара.

«Фаина, пусть огонь этих роз растопит лед. Ошалевший от восторга Г.Л.».

Я засмеялась. Довольно пошлая записка. Но розы и впрямь чудесные. Вечером возьму их домой.

Когда я вечером уже села в машину, мне позвонила Мария Ипполитовна.

— Дружочек, непременно зайдите ко мне, — каким-то таинственным тоном сказала она.

— А что случилось?

— Ну, во-первых, я приготовила хороший ужин, хотя нет, это во-вторых, а во-первых, вам прислали сказочные розы! И оставили у меня.

— Оранжевые?

— Нет, почему? Темно-красные, изумительные. Вероятно, от того мужчины, с которым вы вчера ужинали?

— Боюсь, что да.

— Фаина, я умираю от любопытства! Вы мне расскажете?

— Пока особенно нечего рассказывать, но ничего не утаю, — засмеялась я.

И только я отключилась, как позвонил Федька. Он все же последовал моему совету и расписался с напиравшей на него бабенкой. Но держался отчужденно, не жил с ней.

— Фаинка! Ты была права! У этой суки случился выкидыш!

— Взаправду или понарошку?

— Конечно, понарошку! Просто дальше уже нельзя было тянуть с имитацией беременности. Завтра подаю на развод.

— И она согласна?

— Да. Поняла, что со мной только зря теряет время.

— А мама?

— Мама сперва рыдала, что потеряла внука, помчалась к ней, а вернулась задумчивая. Мне ничего не сказала, но я слышал, как она говорила по телефону своей Танечке: «Девчонка оказалась никудышная. Полное говно! Бедный Федяка!»

— Поздравляю!

— Спасибо, сестренка, ты настоящий друг.

— На здоровье! Только впредь будь поосторожнее.

— Да уж... А ты где?

— Домой еду.

— Может, поужинаем где-то?

— Давай в другой раз, я устала.

— Ну как скажешь, но с меня ужин в любом ресторане по твоему выбору.

— Договорились.

У подъезда опять возникла непроходимая лужа, правда, кто-то уже проложил через нее мостки. А у меня екнуло сердце. А чего, спрашивается? У человека жена итальянская графиня, умная достойная женщина, единственная из всей родни поддержавшая новую деятельность свекрови. Так при чем тут я и московские лужи?

— О, Фаина, вы тоже с розами?

— Вот, прислали на работу.

— Какая красота!

— Я с вами поделюсь!

— Ни в коем случае! Эти цветы для вас и только для вас. А вы сияете, совсем другой вид! Идемте ужинать!

— Мария Ипполитовна, а можно я сперва переоденусь? Так хочется все с себя содрать.

— Конечно, идите! Только недолго, ладно? Не хочется греть ужин.

— Буквально пять минут.

Автоответчик мигал красным глазком.

«Фаина, ты куда запропастилась? Приходи ужинать» — тетя Соня.

«Фаинчик, завтра на полчаса раньше, надо поговорить» — Анита.

«Фаина, я слетел с катушек! Втюрился по уши!» — Гунар.

Странная манера объясняться в любви! Но это и не любовь, а так, играшки. А я хочу любви... Несмотря на полную безнадегу, я все-таки была счастлива, когда любила Родьку. Это, конечно, глупо, но тем не менее...

— Вы не правы, дружочек, — задумчиво проговорила Мария Ипполитовна, выслушав мой рассказ о Гунаре. Она из тех людей, которым легко открывать душу. — Такая форма объяснения может свидетельствовать о том, что этот человек влюбился всерьез и сам этого чувства боится. Это показная бравада. Но, конечно, скверно, что он женат. Впрочем, поглядим, как будут развиваться события. Но вы явно похорошели, как хорошеет женщина в романе. Вернее, на подступах к роману. У меня в жизни так бывало. Помню, один человек влюбился в меня, но мне он совсем не нравился, а в результате это была моя самая большая любовь в жизни... Я вышла за него замуж и родила сыновей... А начиналось все, как у вас. И он тоже был женат, когда мы познакомились. Да, а вы показали Аните Александровне третью колонку?

— Завтра. Ее сегодня не было.

— Я волнуюсь.

— И совершенно зря. Колонка просто отличная.

— Я вам верю, у вас хороший вкус, дружочек. Да, совсем забыла... Скоро вы познакомитесь со всеми моими сыновьями!

— Они приезжают?

— Да! Я хотела замотать эту дату: мне через две недели стукнет семьдесят пять, и они все приедут, слава богу, без жен. Я сказала, что начну готовиться, а Мишка категорически заявил, что праздновать будем в ресторане и я могут позвать всех, кого хочу. Разумеется, и вас тоже, Фаина, вернее, вас в первую очередь.

— Спасибо, я с удовольствием. Они все остановятся у вас?

— Только Мишка. Леонид будет в гостинице, а у Степы в Москве своя квартира. Но я хотела попросить вас о любезности.

— Я с радостью.

— Вы не поможете мне выбрать ресторан, ну и заказать ужин... Я не очень это умею...

— Да без проблем! Сделаем. В субботу поедем и все закажем. А на сколько человек?

— Я еще не знаю, надо подумать. Но полагаю, человек двадцать в общей сложности наберется.

Вот и хорошо, думала я перед тем, как заснуть. Я познакомлюсь с этим человеком, и все встанет на свои места, а то придумала себе повод для волнения, дурища! Ах, он перенес меня через лужу, великое дело! Ах, я коснулась его небритой щеки! Радость великая! Он ведь даже попытки не сделал познакомиться со мной, просто сгрузил и все, аривидерчи. И, в отличие от Гунара, который после обычного ужина завалил меня розами, он некрасивый. Но они оба женаты, а это не вариант. А где взять холостого? Был один, Серджио... Тьфу, даже вспоминать неохота. Я с удовольствием посмотрела на красные розы, которые пришлось поставить в старинное ведерко для шампанского, второй такой большой вазы у меня не нашлось. А в ведерке они выглядели изумительно. Оранжевые я оставила в гостиной. Он слетел с катушек! Надо же... Но это приятно... Хотя если его женушка пронюхает, мне мало не покажется. Однако моя совесть чиста. И я уж постараюсь ничем ее не замарать, не тот случай. А кстати, надо подумать, что подарить Марии Ипполитовне. Все-таки такая дата...

У лифта я столкнулась с Эстерситой.

— Фаин, ты где нарыла такого поклонника?

— Какого поклонника? — не поняла я.

— А кто тебе второй день подряд розы присылает?

— Опять прислали? — удивилась я.

— Да.

— Что ж, я люблю розы.

— А я нет.

— Почему?

— Потому что с ними возни много.

— Ничего, повожусь.

— Конечно, когда живешь одна, времени навалом, а когда дети, муж, свекровь стерва...

— Тогда правда не до роз, — посочувствовала я. И напрасно.

— Ну ты и дрянь! — выпалила Эстерсита. — Нос задрала, думаешь, если печатать старушечьи бредни...

— Валя, а потише нельзя?

— А что, уволишь? Ты ж теперь большая начальница!

— Я теперь начальница не больше, чем раньше. И увольнять хороших работников только потому, что их мучает зависть, нерационально. Однако всему может наступить предел.

С этими словами я вошла в приемную, не видя реакции Эстерситы. Но меня колотило.

— Фаина Витальевна, опять цветуечки прислали! — доложила Светлана.

— Спасибо, я уже знаю.

На столе стояли фантастические белые розы.

— Анита здесь?

— Ждет вас!

— Анита, извини, попала в пробку!

— Да я сама только что пришла. Кто это тебя заваливает розами?

— Да так, один латышский перец.

Она фыркнула.

— Слушай, Фаинчик, я сегодня улетаю на сутки в Милан, а тебе кровь из носу надо пойти на презентацию книги Сашки Великанова. И написать репортаж. Лучше тебя никто не сделает. Скажешь ему несколько нежных слов, он, кстати, чуть не сдох от зависти по поводу старой леди. Сказал, что ход гениальный. Ты же понимаешь, мы коллеги.

— Анита! — взмолилась я. — Тебе же известно, как я все это ненавижу! Да и я не фигура для этой тусовки... Нет! Пусть пойдет Эстерсита, к примеру.

— Нет! Должна пойти ты! Надо привыкать! Потолкаешься там полчасика и гуляй! Только возьми с собой Женю, она будет фотографировать, и репортаж какой-никакой сварганит, тебе останется просто представлять наш журнал. И не спорь.

— Господи, а как туда надо одеваться?

— Фаинчик, не строй из себя дурочку. Ты все прекрасно знаешь сама.

— Но я не читала его книгу!

— Вот, возьми, прочти...

— Это стоит читать?

— Знаешь, странно, но это редкое говно. Я думала, он умный образованный парень, с чувством юмора, а тут...

— Что?

— Какое-то бесформенное скучно-гламурное детективище, в которое он попытался впихнуть все, что знает. Но это не имеет значения. Можешь не читать. Подойди, передай привет от меня, скажи, что я рыдала от горя, что не смогу быть на этом мероприятии. А потом можешь сматываться. А сейчас иди, у меня еще куча дел до отъезда.

— А как Дмитрий Сергеевич? Ты с ним летишь?

— Если бы! Но он присутствует в жизни, и это приятно. Да, а что за латышский перец?

— Да ничего, просто латышский перец.

— Ладно, лирика потом.

Александр Великанов был главным редактором мужского журнала. Красивый сорокалетний мужик, действительно образованный, делал вполне хороший и, я бы даже сказала, продвинутый и интеллигентный журнал. Там статьи писались отличным русским языком, что по нашим временам огромная редкость. Саша давал всегда взвешенные интервью, выдержанные в хорошем тоне — словом, я не очень поверила Анитиной оценке. И решила сама проглядеть книгу. Я умею за полчаса понять, что собой представляет та или иная книга. И я была поражена! Оценка Аниты была совершенно точной. Все-таки гламур съел этого кандидата филологических наук с потрохами. Полное отсутствие представлений о форме, неиссякаемый поток брендов, самолюбование, вялый детективный сюжет то и дело вспухал историческими отступлениями, совершенно неинтересными и даже неуместными в этом повествовании. Словом, далеко не всем надо писать книги. Ох, не всем, а сейчас пишут практически все. И это беда. Настроение, с утра испорченное Эстерситой, упало, как говорится, ниже плинтуса. И вдруг меня осенило. Я попрошу Федяку пойти со мной на эту тусовку. Ему это будет любопытно, а я по крайней мере буду не одна. Сказано — сделано.

— Федь, ты вечером занят?

— А что?

— Хочешь пойти со мной на презентацию?

— На презентацию чего?

— Книги Великанова. Там будет фуршет, а потом мы смоемся, и ты покормишь меня обещанным ужином.

— Годится. Туда нужен смокинг?

— Нет, просто костюм. Желательно с галстуком.

— Договорились. Где встречаемся?

С работы пришлось уйти пораньше, так как надо было переодеться и навести лоск. Дома меня опять ждал огромный букет — на сей раз чайных роз. Если так и дальше пойдет, надо купить несколько больших ваз, как-то отстраненно подумала я. Я надела черный шелковый костюм, служивший мне палочкой-выручалочкой уже два года. Последний раз я надевала его с серебряным шарфиком, а сейчас надела с белой атласной вставкой. Получилась совершенно новая вещь. Я выложила за него кругленькую сумму, но эта трата себя оправдала. Помню, первый раз я надела этот костюм на какое-то мероприятие, где был Родион. Увидев меня, он помотал головой, зажмурился и произнес: «Девушка, ты ослепительна! Само совершенство!» А влюбился в «селедку»...

На презентации все было как обычно и я, как обычно, злилась. Лица одни и те же, хотя все одеты скромнее, чем раньше. Ничего не попишешь, веление времени, кризис! Но суть от этого не менялась. У нас это считается высшим светом, хотя, полагаю, три четверти этих людей к высшему свету любой другой страны даже близко не подпустили бы. А мы же особенные. У нас и высший свет на особицу. Но Федьке это было интересно.

— Финик, а это кто? — то и дело вопрошал он, вспомнив мою детскую кличку.

— Где?

— Ну вон та, блонда в лиловом.

— Писательница Мылова, — хмыкнула я.

— Писательница? — ахнул Федька. — Что она может написать?

— Не знаю, я не в силах это читать.

— Да, Финик, тяжелый случай. Такое впечатление, что ее молодость прошла на обочине Ленинградки.

— А я смотрю, она тебя зацепила, — засмеялась я.

— Скажешь тоже...

Мы повертелись среди модной публики, и я улучила момент, чтобы подойти и поздравить Сашу. Он был весьма любезен, хотя его со всех сторон тормошили, успел сказать:

— Фаина, колонка старой леди — гениальная находка. Если захочешь уйти от Аниты, всегда тебя возьму, имей в виду.

— Спасибо, Саша.

— Ты книгу-то читала?

— Нет, еще не успела.

— Я тебе подарю.

Он взял книгу, написал несколько слов и протянул мне.

— Спасибо, я тронута.

Моя миссия была окончена.

— Федь, все, можно уходить.

— Фаин, ну давай еще побудем.

— Не могу, тошнит.

— Ну пятнадцать минут.

— Черт с тобой!

Вокруг шептались о книге, большинство говорило, что книга отвратительная, но к Саше все подходили с восторгами. Все как всегда. Подошла

Мылова на невероятно высокой платформе и тоном провинциальной обольстительницы середины девятнадцатого столетия пропела:

— Александр, я вас поздравляю! Вы умничка! Такой культурный багаж и так интересно, не оторваться... Так что мы теперь коллеги!

Я видела, что Сашка скривился. Он все-таки понимал, что быть коллегой Мыловой не слишком престижно, как минимум.

— Федь, все, больше не могу! Фуршет еще не скоро, а я умираю с голоду.

— Хорошо, идем.

Мы подошли к широкой мраморной лестнице, и вдруг я увидела, что навстречу нам поднимается Гунар с женой.

При виде меня он заметно побледнел.

— Федь, не вздумай сказать, что ты мой брат, — на всякий случай шепнула я.

Но и Гунар и его жена сделали вид, что меня знать не знают.

— Ты о чем? — не врубился Федяка.

— Ни о чем, проехали.

— Ну, куда тебя отвезти?

— Куда-нибудь, где мне дадут поесть.

— Тогда поехали в «Эль Гаучо».

— А это что?

— Аргентинский ресторан. Там подают лучшее мясо в Москве. И там ты оценишь степень моей благодарности. Кстати, мама страдает.

— Отчего?

— Она ревнует тебя к твоей новой соседке.

— Ну вот еще!

— Говорит, ты про нее совсем забыла, даже ужинать не приходишь.

— Господи, какая чепуха! Вот завтра приду к ним и объясню, что добираюсь домой так поздно, что даже к родным неудобно заваливаться. Работы непочатый край, все же на меня свалилось.

— Да я думаю, дело не столько в ужинах, сколько в этой колонке.

— Но Соня же не может вести колонку в журнале.

— А мама говорит, что тебе даже в голову не приходило предложить ей попробовать.

— Федь, ты так шутишь? — расстроилась я.

— Если бы! Вообще, у мамы в последнее время какие-то заскоки появились. Взять хоть эту суку и ее никогда не существовавшего ребенка. Она уж для него пинеточки связала...

— Да ты что? Бедная Соня, ей хочется внуков...

— Зато мне не хочется детей незнамо от кого.

— Тогда не ложись в постель незнамо с кем.

— Легко сказать.

Интересно, отчего Гунар так побледнел, от страха или от ревности? А впрочем, неважно. Он мне не нужен, решила я.

Утром в офисе меня опять ждал букет, на сей раз розы были цвета сомон. Я стала искать записку с извинениями. Ее не было.

— Это кто же так старается? — спросила Таня из рекламного отдела.

Я молча пожала плечами. Но почувствовала, что в основном женскому коллективу журнала мои розы как кость в горле. А и в самом деле бестактно. Ну прислал один букет и хватит. А хочешь завалить меня розами, шли домой. На работу-то зачем?

Вечером меня тоже ждали розы. И записка:

«Фаина, дорогая моя Фаина, надеюсь, Вы простили меня за невольное хамство? Но, поверьте, так лучше и спокойнее всем. Однако я потерял покой окончательно. Что это за мужик с вами был? Только не думайте, что моя латышская фамилия залог холодного темперамента. Отнюдь. Я ревнив, как венецианский мавр. И просто умираю от любви. Вы вчера были невероятно хороши. Остаюсь преданный Вам и терзаемый ревностью Гунар».

Ничего, пусть терзается, ему полезно. Интересно, на каком основании он меня ревнует?

Утром, обнаружив опять букет, я пришла в ярость.

— Фаина Витальевна, вы бы сказали вашему кишкомоту, чтоб слал цветуечки на дом, а то наши уже кипишуют.

— Кому сказать? — ошалела я.

— Кишкомоту. Чего он кишки вам мотает...

— Светлана, я такого слова не знаю!

— Думаете, вы все слова знаете? У нас в Одессе так говорят. Я, конечно, дико извиняюсь, но у вас будут-таки проблемы из-за этих цветуечков.

— Светлана, я потрясена. Обычно, от вас двух слов не дождешься, а тут целый монолог, да еще с одесской интонацией! И это слово — кишкомот — просто восторг.

— А мне вас потому что жалко. Вы нормальная, а эти фуцанши такие лимонные морды строят. Боюсь, они вам таки устроят рай мит фефер.

Я вскочила и расцеловала девушку. Обожаю одесские выражения. У отца была тетя Ципа, которая как-то приезжала к нам в гости. Она готовила потрясающие блюда из «синеньких», привозила целые мешки «конского зуба», который называла «семачки». Я тогда уже жила у отца, и тетя Ципа сказала: «Виталя, что за дрипка твоя жена? Как можно дите отдать папаше? Знаю я ее, цельный день квартеру шкрябает, а на дите накакала? Ей что, до сраки кари очи?» Я тогда хохотала как сумасшедшая и нежно полюбила тетю Ципу, которая, к сожалению, очень рано умерла. И сейчас от этого Светкиного монолога на меня пахнуло чем-то теплым, добрым и вкусным...

— Фаина Витальевна, вы чего? — растерялась Светлана.

— Ты почему все время молчишь? Тебя послушать — одно удовольствие.

5-1474и

— Так мне Анита Александровна велела помалкивать и стараться не злоупотреблять одесскими выражениями.

— Да почему?

— Анита Александровна сказала, что эта манера очень прилипчивая и скоро вся редакция будет говорить с одесским акцентом.

— В этом есть рациональное зерно, — сказала я, — но при мне можешь не сдерживаться, я это обожаю.

— Спасибо вам, Фаина Витальевна!

— На здоровье!

Но Света оказалась права. Я остро чувствовала недоброжелательные взгляды. Что случилось с людьми? Раньше одна из наших девушек выскочила замуж за французского миллионера — и ничего, легко пережили. А тут, видимо, я кому-то перешла дорогу. Кому-то мое место кажется невесть каким лакомым... Это было противно. И я решила хотя бы прекратить доставку роз на работу.

— Гунар?

— Боже мой, Фаина! Я счастлив! Вы позвонили!

— Я хотела поблагодарить вас за розы. Они прекрасны, но не надо посылать их мне на работу.

— Вас это смущает?

— Это смущает покой моих сотрудниц.

— Завидуют?

— Очевидно.

— Хорошо. Но домой-то можно?

— Тоже не стоит, я поздно прихожу с работы, надо беспокоить мою соседку, а она пожилая дама...

— Понял! Исправлюсь. Вы простили меня за то, что я не поздоровался?

— Безусловно, это было благоразумно.

— А с кем это вы были?

— Гунар!

— Это ваш любовник?

— А если и так?

— Убью!

Я расхохоталась.

— Фаина, когда мы встретимся?

— Пока не знаю. Не раньше, чем сдадим номер.

— А когда это будет?

— Через неделю.

— Это даже удачно, я завтра улетаю в Лондон.

— Мягкой посадки!

Утром, когда я принимала душ, раздался звонок в дверь. Я почему-то испугалась. Накинув халат, выскочила в прихожую.

— Кто там?

— Госпожа Крупенина, вам цветы!

Черт бы его побрал! Это оказались опять розы в каком-то неимоверном количестве, видимо, обе порции. Я чертыхалась, обрезая концы. У меня еще и прежние не завяли, и непонятно было, куда эти новые девать. Или просто вчерашние выбрасывать, невзирая на их свежесть, в ожидании следующих? Но в какой-то момент поток может иссякнуть, и что тогда? Тогда свобода! А то я уже чувствую себя обязанной. Часть новых роз я пристроила, а остальные собралась отнести Марии Ипполитовне, но потом вспомнила, что Соня на меня в обиде. Отнесу ей. Я вышла из дому на полчаса раньше.

— Фаинка? Ты чего это с утра с цветами?

— Да вот... Мне захотелось тебя побаловать.

— Красотища! Зайдешь?

— Минут на пятнадцать, иначе опоздаю.

— Завтракала?

— Конечно.

Она обняла меня.

— Совсем нас забыла.

— Как я могу! Просто столько работы навалилось... И обстановка в журнале какая-то нездоровая.

— А где она здоровая? Только в семье, да и то не во всякой. Ты, наверное, в курсе этой Федькиной женитьбы дурацкой?

— Так вы же сами требовали, чтобы он женился.

— Больше не буду. Такая сука оказалась. Она сообщила нам, что у нее был выкидыш, я расстроилась жутко, поехала ее навестить, а она меня так обхамила... И никакого выкидыша у нее не было. Хотя эта дрянь нам даже УЗИ показывала, у кого-то снимок то ли позаимствовала, то ли сперла... А Федька молодец, хватило ума не прописывать ее. Все, я больше не вмешиваюсь. Пусть сам женится на ком хочет, видно, внуков мне не дождаться. Хоть бы ты родила... Я бы за ним ухаживала, ты ж мне не чужая... И ты, я знаю, ребеночка хочешь. Фаинка, ей богу, роди! Хоть без мужа, в наше время это необязательно. А мы с Юликом будем ему вместо деда с бабкой и все возьмем на себя, ты только роди, пока не поздно.

— Чтобы родить, надо найти производителя, а на горизонте пусто.

— А кто ж тебе розы все время шлет?

Я обалдела.

— Откуда дровишки?

— От консьержки, вестимо.

— Да, как тут информация поставлена...

— Ну так что? Он не годится в производители?

— Не хочу с ним вязаться, у него жена мегера.

— А жена ничего не узнает. Переспи с ним пару раз, если получится, быстренько дай отставку, а ребеночек у нас уже будет.

— Нет, Сонечка, я так не хочу.

— Как?

— Без любви. Ребенка надо хоть зачать в любви.

— Может, ты и права, — задумчиво проговорила она. — Наверняка даже права. Ну, а любовь есть хоть на горизонте?

— Нет, даже на горизонте нет.

— Да почему? — вдруг взорвалась она. — Почему у такой красивой, умной, успешной все наперекосяк? Почему ты никого не любишь?

— Так некого!

— Нет, ты небось еще своего Шахрина не разлюбила.

— Разлюбила, — твердо ответила я.

В редакции, видимо, все ждали роз, а их не было, и в глазах многих я читала явное злорадство.

— Фаина Витальевна, нету цветуечков, — развела руками Светлана.

— Знаю. Я сама это прекратила.

— И правильно! А то эти наши бабёхи, видать, так соскучились за цветуечками, шо...

Эту речь услышала Анита, как раз вошедшая в приемную.

— Светлана, я же просила, — страдальчески поморщилась она.

— Умолкаю!

Я села за стол и начала просматривать верстку. Полезла за ручкой — с компьютера читать верстку не могу — и рука моя наткнулась на что-то мягкое. Это была дохлая мышь. Так, меня, кажется, начинают травить. Но я им не доставлю удовольствия. Они ждут, что я начну визжать, но фиг вам! Я надела перчатку, сунула мышь в пакет и молча отнесла в мусорную корзину в туалете.

Интересно, что будет дальше? Главное, не реагировать. Тогда им станет скучно. Но меня трясло. Что я им сделала? Выгнала профнепригодную Дину? А они, такие сплоченные, решили мне за это отомстить? Вряд ли. Слишком много времени прошло. Или цветы просто подогрели уже остывающую ненависть?

Я зашла в комнату, где сидели Эстерсита, Нина и Вета. И вдруг по глазам Эстерситы я поняла: это она! Она ждет скандала, разноса, воплей. Но я только отдала Вете плохо прописанную рекламу духов. И мне показалось, что ни Вета, ни Нина про мышь ничего не знают. У них были спокойные, без ожидания, выражения лиц. Теперь понятно. После увольнения Ларисы именно Эстерсита рассчитывала на мое место.

Раньше у нас были вполне приятельские отношения. В кризисе дело, что ли? Кризис сказывался и на нас. Отпали некоторые рекламодатели, мы крутились, как могли, никого пока не увольняя и даже не понизив зарплаты. Хотя такая перспектива просматривалась довольно ясно. Зачем же Эстерсита рубит сук, на котором сидит? Или, по дури, предполагает, что я не догадаюсь, чьих рук это дело?

А Анита, похоже, витала в облаках. В редакции появлялась нечасто, правда, нарыла где-то щедрого спонсора, который отвалил крупную сумму за небольшую заметку о его любовнице, красивой породистой девушке. Такой материал и поместить не стыдно. Но все же основной воз тащила я, а настроение у меня было никудышное. А ведь на днях предстоял юбилей Марии Ипполитовны и знакомство с тремя ее женатыми сыновьями. Однако с женатыми я никаких дел иметь не буду. Мне это ни к чему. Но просто покрасоваться, покрутить хвостом, нарядиться в охотку — уже приятно.

— Дружочек, вы только наденьте какое-нибудь нарядное платье, — попросила меня Мария Ипполитовна.

— Обязательно!

— А вы с работы приедете?

— Конечно, но я вырвусь на часок в салон красоты, а платье возьму с собой. На работе переоденусь.

— Умница, все продумали! — умилилась старая леди. — Завтра приезжает Леня, Мишка прилетит послезавтра, а Степа уже приехал. Он встретит братьев. У него же тут машина. Он такой внимательный мальчик... Я думаю, это все-таки заслуга его жены. Знаете, если жена не приучит мужа быть заботливым и внимательным...

— А мне казалось, если мать не приучит...

— Ах, я, конечно же, приучала мальчиков, но что значит влияние матери в сравнении... с ночной кукушкой.

И она так улыбнулась, что я явственно увидела, какой обворожительной она была в молодости.

И глаза ее так молодо сияли, когда она говорила о сыновьях...

— Фаиночка, как вы считаете, нам не надо заехать еще разок в этот ресторан, ну, напомнить им, а?

— Я туда сегодня звонила. Там все в порядке.

— Спасибо, дружочек! Вы моя благодетельница. Да, кстати, Фаина, если вы хотите прийти с каким-нибудь кавалером, я буду только рада.

— Спасибо, но сейчас таковых не наблюдается. А просто подгонять пиджак неохота.

— Что? Какой пиджак? — не поняла старая леди.

— «Подогнать пиджак» — это такое блатное выражение, означает взять с собой какого-нибудь мужчину просто, чтобы был рядом, для приличия или солидности.

— Боже мой! Знаете, дружочек, я иногда совсем не понимаю нынешний язык.

Утром в день рождения соседки я увидела в окно, как к подъезду подкатил коричневый джип-тойота, откуда вылезли трое мужчин. Я сразу поняла — это они, сыновья. Все трое с цветами и коробками. Я порадовалась за милую женщину. И подумала, что хоть одному из них я сегодня вскружу голову, пусть хоть на вечер, а мне больше и не надо. И скорее всего Леониду, он такой красавец, похож на Александра Маршала... Я долго стояла перед шкафом. Потом решила, что ради такого случая надо надеть маленькое черное платье, тем более, что у меня их три и можно выбрать по погоде. Я примерила все три. Но одно висело на мне, я похудела за последнее время, второе требовало каких-то аксессуаров в большом количестве, а вот третье было в самый раз и говорило само за себя. Это было платье от Шанель, подарок отца. Это платье не требовало ничего, кроме маленькой нитки жемчуга. Черт побери, а я еще о-го-го! И все же в салон красоты зайти надо. Благо, неподалеку от редакции есть проверенный хороший салон, куда частенько бегают наши.

Но с утра начались неприятности. Захворала Светлана. Позвонила совершенно осипшим голосом, сказала, что у нее температура тридцать восемь и пять. Потом выяснилось, что отпал крупный рекламодатель и замены пока не было видно даже на горизонте.

— Фаинчик, — сказала Анита, по такому случаю приехавшая в редакцию. — Придется сокращать зарплаты.

— Анита, я все понимаю, но, может, можно еще как-то вывернуться?

— Как? Как вывернуться? Можно уволить несколько человек, и тогда обойдемся пока без сокращения.

— Ну, на мой взгляд, лучше все-таки сократить зарплату, чем увольнять. Куда сейчас уволенным податься? А так все же хоть что-то у людей будет.

— Я тоже так думаю, но ты все-таки прикинь, без кого мы сможем обойтись, пока превентивно. Кризис только разворачивается, и если мы хотим сохранить журнал...

— Нет, я пока и думать на эту тему не стану, пусть все идет как идет. Объявим о сокращении зарплаты, кстати, я прошу тебя объявить об этом, лично.

— Почему? Объявишь от моего имени.

— Анита, ты здесь бываешь редко, и вообще ты как Бог и царь, высоко и далеко, а я тут каждый день, на меня и так все шишки валятся...

— Хорошо, поняла. Тогда назначь собрание на пять, у меня как раз будет два часа перерыва, я заеду.

— А может, не надо собрания, а, так сказать, в рабочем порядке?

— Но если в рабочем порядке, то все шишки уж точно на тебя свалятся.

— Тоже верно. Хорошо. Только мне в полчетвертого надо будет на часок отлучиться.

— Куда это?

— В салон красоты.

— А что за случай?

— Юбилей нашей старой леди.

— Сколько лет?

— Семьдесят пять.

— С ума сойти. Слушай, надо ей что-то подарить от журнала.

— Ой, это было бы здорово, но что?

— У меня есть новая сумка Гуччи. Это рекламный дар, я хотела отдать ее в премиальный фонд, но раз такое дело... Как думаешь, она оценит?

— Думаю, да.

— Отлично. А ты что ей даришь?

— Она попросила новый электрочайник. Ну и цветы, конечно.

— Вот и славно. Я сейчас уже убегаю, к пяти вернусь. Не задерживайся в салоне.

— Нет, конечно.

— Фаин, по какому случаю сбор? — спросил фотограф Веня, столкнувшись со мной в коридоре.

— Не знаю, Анита скажет.

— Кризис-шмизис, будут увольнять! А я и сам уйду! На вольные хлеба! Что мне тут ловить?

— Дело твое. Может, и я скоро уйду.

— А есть куда?

— Нет.

— Тогда журналу кирдык. Но я тебя понимаю. Какая-то в державе нашей гниль завелась, както пованивать стало, а вот откуда, пока не разберусь.

— Вот-вот, и я тоже.

— Ой врешь, подруга! По глазам вижу, уж ты-то разобралась. И я дам тебе прощальный совет: гони в шею, не жалей! Воздух чище будет.

— Я пока не знаю, кого гнать.

— Ну-ну!

— Фаина, сегодня все мужики будут твои! — сказал мне стилист Яшенька. — О такой коже, как у тебя, можно только мечтать. Извини за банальное сравнение, но это персик!

На собрании Анита объявила о сокращении зарплаты. Все вздохнули с облегчением — лучше получать меньше, чем вообще потерять работу.

— Себе-то небось не сократят, — сказал кто-то, когда собрание закончилось.

— А вот и зря говоришь, — ответила бухгалтерша Антонина Антоновна. — И Фаине и Аните тоже сокращаем. Всем.

— Да ладно, им это сокращение семечки. Они и не заметят.

Такие разговоры у нас в порядке вещей, я не стала обращать внимания и пошла к себе, пора было переодеваться и ехать на юбилей. По дороге еще надо купить цветы. Я открыла шкаф в приемной, куда повесила платье, и обмерла. Платье, мое любимое платье, было изрезано в клочья, а белое кожаное пальто залито чем-то черным. Из кабинета вышла Анита.

— Фаинчик, что с тобой?

Я молча указала ей на шкаф.

— Так! Это кто же у нас старается? Узнаю, выгоню в одночасье! Ты догадываешься?

— Нет. Я думала, мышь мне подсунула Эстерсита, но сегодня она больна...

— Какую мышь?

— Дохлую. Я нашла в столе дохлую мышь.

— Какая мерзость... А почему ты мне не сказала?

— А зачем?

— Только не вздумай реветь! Испортишь потрясающий макияж.

— А зачем он мне нужен? Куда я пойду?

— Можно подумать, это твое единственное платье!

— Но самое лучшее... Подарок отца... Шанель... А пальто... Как жалко... И вообще, у меня такое настроение сейчас... Анита, знаешь, я уйду из журнала.

— Куда это ты уйдешь? Не вздумай! Еще чего! Я найду эту мерзавку, такие истории надо пресекать в самом начале. Вот увидишь, в понедельник я все выясню. И выгоню без жалости. А сейчас возьми мой плащ и быстро езжай домой. Позвони леди и предупреди, что немного задержишься, ты привезешь ей подарок от журнала, скажешь, из-за него и задержалась. И прямо сейчас вызови такси, чтобы на юбилее выпить и расслабиться. Там наверняка будут какие-нибудь мужики, кокетничай с ними, танцуй, веселись. Ну будет на тебе платье не от Шанель, думаешь, твоя жизнь кончилась? Может, она только начинается? Давай, давай. Вот тебе плащ. Уйдет она... Видали? Тоже мне, мимоза! Ты уже принимала скодрые решения. То любимого своими ручками другой отдала, то работу бросила... Это все результат, кстати, того поступка. Раньше у нас такого не бывало. Это ты сама спровоцировала...

— Анита!

— Что Анита? Попробуй возразить! Впрочем, мне уже некогда слушать твои возражения.

И она умчалась. А я поплелась на стоянку. Больше всего мне хотелось плакать. И меньше всего что-то праздновать. Но я понимала, что Мария Ипполитовна расстроится. Да и лишать ее радости по поводу подарка от журнала, свидетельствующего о ее большом успехе на новом поприще, было бы свинством. Ничего, приеду, отдам подарки, побуду полчасика и тихонько слиняю. Мне просто необходимо поплакать, слезы тяжелым комом скопились внутри.

В четверть восьмого, когда я уже переодевалась, позвонила Мария Ипполитовна.

— Фаина, дружочек, вы где?

— Простите, я опаздываю, меня задержали на работе, но я скоро буду. Не ждите меня, хорошо?

Меня трясло. Кто же так меня ненавидит? И за что? Анита обещала разобраться, но как? Перед входом в ресторан я замерла, собралась с духом и вошла. Мария Ипполитовна сидела во главе стола, лицом к входу. Она сияла и выглядела настоящей королевой.

— А вот и моя Фаина! — воскликнула она, поднимаясь мне навстречу. Сидевший с ней рядом седовласый красавец поднялся тоже.

— Добрый вечер! — сказал он, принимая у меня пальто. — Столько о вас слышал от мамы...

— Я тоже наслышана, Леонид Петрович.

Я сгрузила подарки на стул и обняла юбилярšу.

— Милая, дорогая Мария Ипполитовна, я вас поздравляю, желаю вам... А впрочем, вы все сами знаете. Вот обещанный чайник, а это подарок от журнала.

Она зарделась.

— Правда? А что это?

— Сумка от Гуччи. Надеюсь, вам понравится. Анита Александровна просила передать вам, что вы лучшее приобретение журнала за последние годы.

Гости зааплодировали. Она притянула меня к себе, поцеловала и шепнула:

— У вас что-то случилось, деточка?

— Ерунда. Потом как-нибудь расскажу, вместе посмеемся.

Меня посадили между Леонидом Петровичем и юбилярšей. За столом было еще два свободных места. Из собравшихся знакома мне была только подруга Марии Ипполитовны Нинель Борисовна, чудная тетка, которая живет в соседнем с нами доме. Я чувствовала себя не очень уютно, а комок внутри с каждой минутой разрастался.

— Фаиночка, а это Миша, — сказала Мария Ипполитовна, беря за руку мужчину, сидящего рядом с ней с другой стороны.

Он лучился обаянием. Есть такие люди: вроде бы ничего особенного, но обаяние невероятное.

— Мама говорила, что вы красивая, но я не думал, что до такой степени, — улыбнулся он.

— Спасибо.

— А почему вы ничего не едите? Здесь здорово вкусно кормят.

— В самом деле, дружочек! Попробуйте хоть что-то.

— Девушка, вероятно, сидит на какой-нибудь новомодной диете, — сказал над моим ухом Леонид.

— Нет-нет, просто я немножко отдышусь и тогда накинусь на еду.

— А вы выпейте, сразу станет легче, — посоветовал Миша.

— Фаина за рулем, — вступилась за меня Мария Ипполитовна.

— Нет-нет, я на такси. Не могу же я не выпить за вас, Мария Ипполитовна!

— Вот и чудесно! Леня, налей Фаине водки, она шампанского не любит.

— О, наш человек! — обрадовался Миша. Он не сводил с меня сияющих глаз.

— А Степа будет с минуты на минуту, — сказала Мария Ипполитовна. — Он поехал в аэропорт кого-то встречать и задержался. Пробки!

Я смотрела на двух братьев. Как справедливо природа распределила свои дары. Одному брату красоту, другому обаяние. Если бы все это было, как нынче принято говорить, в одном флаконе, это было бы чересчур. Наглядный пример того, что обаяние куда важнее красоты, по крайней мере в мужчинах. Впрочем, в женщинах, вероятно, тоже.

— Фаина, скажите, а в этом заведении танцуют? — спросил обаятельный.

— Вряд ли, — покачал головой красивый. — Да и кому тут танцевать?

— Например, нам с Фаиной. Мама, ты не будешь возражать?

— Буду. Пусть Фаина немножко придет в себя, поест, а потом уж танцы. И вообще, надо дождаться Степу... а танцы нарушают застолье. Твоя мать все-таки пожилая дама, но тоже не прочь потанцевать с сыновьями. Но после ужина. Перед десертом.

— Мамочка, твое слово — закон! Но, Фаина, обещайте первый танец мне.

— С удовольствием, — улыбнулась я. Мне стало как-то легче. Вероятно, действовало обаяние.

В этот момент вошел еще один мужчина. Я ахнула. Это был мой старый знакомый, Игорь Шувалов, издатель. Он оказался сыном одной из двух дам, приятельниц Марии Ипполитовны.

— Фаина? — не поверил он своим глазам. — Ты как сюда попала?

— Вы знакомы? — удивились Мария Ипполитовна и его мать.

— Давно.

— Фаина моя соседка и, смею так заявить, моя новая подружка! А свет мал, вот лишнее подтверждение, — улыбнулась юбилярша.

— Так, кажется, я понял, что это за таинственная старая леди, наделавшая такого шороху в нашем кругу. Фаина, это твоих рук дело?

— Моя только идея.

— Тетя Маша, я в восторге! И поздравляю вас не с какой-то там дурацкой датой, а с новой карьерой. Это супер! Пью за ваше здоровье и, дорогая тетя Маша, вы достойны восхищения как журналист и по-прежнему прекрасны как женщина!

Странно было слышать это «тетя Маша». Но от присутствия Игоря слегка заныло сердце. В последний раз я видела его почти год назад. Я обедала в ресторане с Родионом, а Игорь, как выяснилось тогда, учился в мединституте с любимой женщиной Родиона, и это он сказал, что у нее было прозвище «Девственная селедка». Наверное, случись эта встреча в другой день, никакого сердцебиения я бы не ощутила, Родя остался в далеком прошлом... Но сегодня каждый пустяк отзывался болью. Но, словно почуяв мое состояние, Миша стал что-то спрашивать у меня, и его обаяние подействовало на меня благотворно. Вот в кого можно влюбиться на раз! Но он живет в Канаде, у него дети... Но ведь не обязательно замуж... И в его глазах такой явный мужской интерес... И так хочется этого...

— Вам нравится Миша? — шепнула мне Мария Ипполитовна.

— Ну... Он... очень обаятельный... — жутко смутилась я.

— И у него отвратительная жена!

К чему она это сказала? Она дает добро возможному роману?

— О, а вот и Степа! Наконец-то!

— Мамочка, прости, ради бога, я в отчаянии, по Москве просто немыслимо ездить!

Он обнял мать, поцеловал.

— Степа, познакомься, это Фаина!

— О, а мы немножко знакомы! — сказал он чуть хрипловатым голосом.

— Как? А я ничего не знаю, — воскликнула Мария Ипполитовна. — Фаина, что за тайны?

— Это не тайны, просто я только сейчас поняла, что это был Степан Петрович. У нашего подъезда была огромная лужа, я слегка замешкалась около нее, а какой-то мужчина схватил меня на руки и перенес.

Гости зааплодировали, он смешно раскланялся и сел на свободное место как раз напротив меня. Сегодня он был гладко выбрит. Ему от щедрот природы не перепало почти ничего. Ни красоты старшего брата, ни обаяния среднего. И вообще никакого семейного сходства. Нет, я ошиблась... Природа его не обделила, она дала ему самое главное, на мой взгляд. Он был мужчиной. И это чувствовалось во всем, в каждом жесте, повороте головы. И если обаяние Миши было, так сказать, всеобщим достоянием, то обаяние Степана могла оценить, вероятно, только женщина. Он был необычайно привлекателен сексуально. По крайней мере для меня. Но в его привлекательности было что-то тревожное, в ней не было доброты, которой так лучился Миша. А сегодня я хотела именно доброты и тепла, которых мне так не хватает в последнее время.

После горячего стали убирать посуду, включили негромкую музыку.

Степан время от времени довольно мрачно смотрел на меня. А я вдруг поняла, что он сейчас пригласит меня танцевать.

— Фаина, первый танец мой! — напомнил Миша.

— Я не забыла.

Он танцевал неважно, но с энтузиазмом.

— Фаина, у вас невозможные глаза... и ресницы. И вообще, вы такая красивая... И знаете, я, конечно, тут ненадолго... Может, мы завтра вечерком куда-нибудь сходим... Вы мне нравитесь... А я вам?

— Вы мне тоже, но завтра у меня вечер занят.

— Жаль, но я теперь буду чаще бывать в Москве. Я тут договорился об одном проекте... Послушайте, а почему у вас такие печальные глаза?

— Это долгая и скучная история.

— Любовная?

— О нет. Служебная.

— Тогда это ерунда. Не стоит внимания.

— Я тоже хотела бы так считать.

— А вы внушите себе.

— Постараюсь.

Музыка кончилась. И тут же подошел Степан.

— Теперь мой танец! — заявил он. В его тоне не было вопроса. Он заявлял о своих правах без обиняков. Меня слегка зазнобило.

Опять включили музыку. Леонид Петрович пригласил на танец мать. А Степан взял меня за талию.

— Я часто вспоминал вас.

— С чего бы это?

— Не знаю. Это иррационально, но факт. А вы?

— Что?

— Вы вспоминали меня?

— Конечно. В наше время такой поступок большая редкость.

— Я не о том.

— А о чем?

— Не притворяйтесь дурой, я знаю, что вы не дура. Кстати, у вас отвратительное имя, какое-то недоброе, старушечье. Как вас зовут близкие?

— Отец зовет меня бамбина, а брат — Финик.

— Финик? Мне нравится. Я тоже буду звать вас Фиником. Вы не обиделись?

— На что?

— Умница.

Он крепко прижал меня к себе. Я задрожала.

— У тебя грустные глаза... Почему?

— Они у меня всегда такие.

— Неправда. Тогда они у тебя были другие...

— Вы успели заметить? — не приняла я его «ты».

— Я тогда много чего успел заметить. И все-таки?

— Зачем вам это? Потанцевали и разошлись.

— Даже и не думай.

— Вы о чем?

— О том, что мы сегодня поедем ко мне.

— Даже и не думайте.

— Ты уверена?

— На все сто.

— Как будет угодно даме.

Я думала, он сейчас меня отпустит, но ничуть не бывало. Теперь мы танцевали молча. Кроме нас танцевали еще две пары.

И вдруг он прошептал мне на ухо:

— Финик!

Я чуть не вскрикнула.

И тут он меня отпустил. Я едва держалась на ногах. Он подвел меня к моему стулу.

— Фаиночка, вы такая бледная, что с вами? — спросила Мария Ипполитовна.

— Здесь душно немного.

Я выпила воды. Леонид танцевал с какой-то дамой. А ко мне подсел Игорь.

— Фаин, скажи, ваш журнал еще не загибается?

— В каком смысле?

— Во всех. Кризис ведь.

— Держимся пока, но зарплату уже сокращаем.

— Хреново.

— Да уж, хорошего мало.

— Ну и, как я понимаю, все в основном держится на тебе, Анита с головой ушла в телепроекты?

— Можно и так сказать, но она держит руку на пульсе.

— А почему ты так грустно об этом говоришь?

— Да так, пустяки...

— Что, сотрудники подсиживают?

— Подсиживают. Главное, я не знаю кто... хотя это не называется подсиживают. Это называется мелко пакостят. Да ладно, Игорь, я не хочу об этом говорить. Ну их.

— Послушай, Фаина, мне тебя Бог послал, я уж собирался сам тебе звонить. У меня есть хорошее предложение.

— Какое?

— Переходи ко мне.

— Куда к тебе?

— Знаешь, я создаю ряд небольших издательств. В кризис можно не только терять, но и создавать. И одно из них я бы поручил тебе.

— Нет, я не могу.

— Что за чепуха? Впрочем, давай завтра вместе пообедаем и поговорим более предметно. А ты подумай. Тебе самое время начать новую жизнь. Подумай, подумай хорошенько. Предложение заманчивое, можешь мне поверить. И штат сама наберешь, но штат пока минимальный.

— Игорь, но...

— Все! Все разговоры завтра. А сейчас я хочу кофе и торт!

Я испугалась.

— Фаина, завтра в два часа в ресторане ЦДЛ.

— Дружочек, что-то случилось? Игорь сказал вам что-то неприятное?

— Нет-нет, наоборот. Просто сегодня был ужасно тяжелый день и я здорово устала. Мария Ипполитовна, ничего, если я незаметно смоюсь?

— Хорошо, деточка. Миша вас проводит.

— Не стоит никого беспокоить. Я поймаю машину.

— Он пойдет и поймает вам машину. Негоже девушке одной ходить так поздно. Миша!

Но Миши поблизости не оказалось.

— Степа, будь добр, проводи Фаину до такси.

— Уже уходите?

— Да, я устала что-то...

— Я вас сам отвезу, я на машине и не пил.

— Спасибо, не стоит...

— Очень даже стоит, а вдруг у подъезда опять лужа?

Его глаза смеялись. Мне опять стало жутко.

Мы потихоньку пробрались к выходу. Он подал мне пальто.

На улице было дивно. Легкий морозец, снег, еще не превратившийся в слякоть. Я жадно дышала, все-таки в ресторане было душновато.

— Вы что, сумасшедшая?

— Почему?

— Вы пришкандыбали сюда в этих туфельках?

— Я приехала на такси.

— Ненормальная. На улице же мороз.

— Но ведь вы отвезете меня?

— Отвезу, куда ж я денусь? Я, правда, собирался предложить вам пройтись пешочком, но в такой обувке... Садитесь скорее.

Я села. И вдруг комок, уже почти исчезнувший, начал стремительно разбухать и подступать к горлу. Только бы доехать до дому, не разревевшись. У меня совсем не осталось сил. И его чары на меня больше не действовали. Я закусила губу и закрыла глаза. Он молча завел мотор. И за всю дорогу не сказал ни слова. Господи, что я за нелепое существо! Вроде бы красивая, неглупая, а что у меня за жизнь? Тридцать шесть лет, ни мужа, ни детей, даже любовника нет. И не надо! Никого и ничего не хочу! И я сама виновата, что на работе меня так ненавидят... И, кстати, единственный по-настоящему родной человек, папа, видно, поддался внушениям Карлотты и звонит куда реже, чем раньше... Видно, я что-то здорово поломала в их планах... И нельзя мне заводить ребенка. Нельзя! Я сама росла в неправильной и неполной семье, вот и выросла в такого урода... Зачем же растить еще одного несчастного?

— Простите, вам нехорошо? — вдруг спросил кто-то. Ах, это же Степан Петрович. Он везет меня домой.

— Нет, все в порядке.

— Вот мы и приехали, — его голос звучал так ласково! От этого комок подступил к горлу, и я боялась задохнуться.

Он вдруг дотронулся до моей руки.

— Рассказывайте, — вдруг потребовал он.

— Что? — почти всхлипнула я.

— Что случилось? Рассказывайте!

— Да нечего рассказывать...

— Неправда. И не бойтесь, я никому не скажу, честное пионерское. Я же вижу, вам здорово плохо. А вдруг я смогу помочь? Или посоветовать?

Слезы уже лились по щекам. Я посмотрела на него. В слабом свете уличного фонаря я увидела серьезное и очень доброе лицо сильного и спокойно-уверенного в себе мужчины. На нем не читалось ничего, кроме сочувствия и желания помочь.

— Ну же, девочка, расскажите.

И я не выдержала. Заикаясь, захлебываясь слезами, я вывалила на него все свои горести и обиды. Он слушал молча, не вставляя ненужных реплик, понимая, что любой вопрос в моих устах риторический, что у меня накопилось в душе много всего. Словом, он был идеальным слушателем.

А под конец я уже просто разревелась, но, как ни странно, с облегчением.

— Это все? — спросил он.

— Кажется, да.

— Стало легче?

— Да... Да! Спасибо вам! Огромное спасибо. И простите меня. Вы очень хороший...

— Ладно, пошли, я провожу вас до квартиры. Примите душ и ложитесь спать. Утро вечера мудренее.

Мы вошли в лифт. Там висело зеркало. Лучше бы я в него не смотрелась.

— Ой, мамочки!

— Не имеет значения, — улыбнулся он. — Я все равно уже успел в тебя влюбиться. Спокойной ночи, Финик!

Я вышла из лифта, а он уехал вниз.

Он успел в меня влюбиться? Ну и что? Гунар вот тоже успел, а мне от его влюбленности одни неприятности. А этот... Кажется, я тоже могу в него влюбиться... И что? Он живет на Сицилии с итальянской графиней. А я тут, ни с кем...

Часть третья

Что удивит...

Утром я проснулась другим человеком. От вчерашних страданий и рефлексий не осталось и следа. Я твердо решила пойти сегодня на встречу с Игорем, выслушать его предложения, и, если условия меня устроят, я соглашусь. Я поняла, что не могу больше существовать в обстановке ненависти, не хочу бороться со злобными, а в сущности несчастными бабами, не хочу, чтобы обстановка в журнале напоминала коммунальную квартиру в худшем ее варианте. Не желаю! Я даже знаю, кого предложить Аните на мое место. И даже если я не сговорюсь с Игорем, все равно из журнала уйду. Мне там больше нечего делать. Бороться с Эстерситой, у которой двое детей и больная свекровь? Я одна, мне легче...

Пока я стояла под душем, полная решимости и энергии, в памяти вдруг всплыла фраза: «Я все равно уже успел в тебя влюбиться...»

Но что же будет дальше? Он придет? Позвонит? Будет добиваться?

Не знаю... Но как бы там ни было, этот человек, с которым я едва знакома, уже успел совершить два по-настоящему мужских поступка. Перенес меня через лужу и заставил все рассказать. Мне это так помогло...

Раздался звонок в дверь. Я в панике накинула халат. А впрочем, неважно. Он ведь уже успел в меня влюбиться! На пороге стоял посыльный с очередными розами. Черт бы их побрал! Наверное, я скоро возненавижу розы. А в висках стучало: я успел в тебя влюбиться!

Я уже оделась и допивала кофе, когда позвонила Мария Ипполитовна.

— Дружочек, как вы себя чувствуете? Я что-то беспокоюсь за вас?

— Спасибо, дорогая Мария Ипполитовна, все в порядке, я выспалась и пришла в себя. Простите, что подпортила ваш праздник...

— Не смейте так говорить! Знаете, по-моему Степа не остался равнодушен к вашим чарам. Мишка тот просто в восторге, но у Мишки все легко... А вот Степа...

— Да что вы, Мария Ипполитовна, вам показалось. Я просто...

— Деточка, я хорошо знаю своих мальчиков. Вот на Леонида вы, кажется, не произвели впечатления... Я же вижу.

— Мария Ипполитовна...

— Все, я умолкаю. Все они женаты и нам с вами не подходят, а вот Игорь Шувалов...

— Игорь Шувалов тоже не подходит, — с облегчением засмеялась я.

— А кавалер с розами? Кстати, вы знаете, что опера Рихарда Штрауса называется «Кавалер роз», но это неправильно. Перевод неверный. На самом деле это кавалер с розой. Но «Кавалер роз» уже на слуху... Кстати, я буду звать этого вашего поклонника «Кавалер роз». Вы не против?

— Нет, я за. Хотя я собираюсь прекратить эти поставки, мне надоело. Простите, Мария Ипполитовна, но мне надо бежать.

— Да-да, простите вы меня, это я заболталась. Еще только одну минутку. Сегодня вечером я приглашаю вас на ужин. Я обещала мальчикам испечь их любимый пирог. Никого не будет, кроме них.

— Спасибо, но это же семейный ужин... Мне неудобно.

— Я же вас приглашаю, значит, удобно.

— Спасибо, конечно, но...

— Никаких но. В восемь жду вас. Отказов не принимаю.

Значит, сегодня я опять увижу Степана? Както сладко забилось сердце. Я что, тоже в него влюбилась?

Я приехала в редакцию в отличном настроении, навстречу мне попалась девушка из производственного отдела. Она смотрела на меня со жгучим любопытством.

6-1474и

— Здравствуй, Женя! — приветствовала я ее.

— Здрасте, Фаина Витальевна! — пробормотала она и поспешила ретироваться.

Я прошла к себе. Светланы по-прежнему не было. Интересно, какой еще сюрприз мне приготовили сотрудники? Но, видимо, испакостив две очень дорогие вещи, они успокоились. Или какой-то сюрприз все же приготовили? Но меня уже это не трогало. Я знала, что уйду. Пусть думают, что победили, мне не жалко. Я испытывала какой-то странный подъем. До часу управилась с большинством дел, оделась и пошла к лифту.

— Уходите, Фаина Витальевна? — спросил охранник.

— Да.

— А если Анита Александровна будут спрашивать?

— Я с ней сама созвонюсь.

— Фаина, подожди! — нагнал меня Валера. — Подпиши, пожалуйста!

— Это что?

— Заявление об уходе. Анита знает, Я ей звонил. Уговаривала...

— Давай подпишу! Здесь нельзя работать.

— Это правда, что тебе какие-то шмотки изгадили?

— Правда.

— И ты стерпела?

— Мне их жалко.

— Их? Шмотки, что ли?

— Шмоток тоже жалко, но этих дур еще больше.

— А ты в курсе, кто это постарался?

— Какая разница? Я тоже ухожу.

— А что я говорил?

Игорь уже ждал меня. Встал, отодвинул стул.

— Как дела, подруга?

— Отлично!

— Молодец, уважаю.

— Ты о чем?

— Я наслышан о настроениях в вашем журнале, знаю, что тебе вчера устроили.

— Господи, от кого?

— Неважно. Важно, что звезды так сошлись. Случайная встреча у тети Маши, твои обидки, думаю, ты примешь мое предложение.

— Посмотрим. А что конкретно ты предлагаешь?

— Возглавить издательство в качестве главного редактора. Будет и директор. Твоя часть творческая.

— А что издавать-то будем? Мылову?

— Я похож на идиота? Мы будем издавать только литературу, а не макулатуру. Это могут быть разные книги, но главное, чтобы все было на чистом сливочном масле. Никаких этих звездулек шоу-бизнеса. Если детектив, то качественный, если любовный роман, только качественный. Никаких этих дурацких серий, которые надо чем-то заполнять, вот и заполняют дерьмом. Серии только авторские. И мой девиз — хороший русский язык. Найдешь пять грамотных редакторов? Двое с основными европейскими языками. Переводную литературу тоже будем издавать.

— Игорь, но людям надо платить.

— Я буду платить. Не сомневайся.

— Хорошая работа стоит дорого.

— Я это понимаю. Возьмешься?

— Надо попробовать. А реализация?

— Это моя проблема, но я уже ее практически решил.

— Помню, ты год назад еще хотел побороться с нашими двумя монстрами. Осилишь?

— Дорогу осилит идущий.

— А какие объемы ты планируешь?

— Первые полгода пять книг в месяц.

— А у тебя есть хоть одна книга?

— Еще бы! Полный портфель на два месяца. Ну и по ходу дела... У этих наших монстров сейчас зависла куча хороших книг. Да, авторы не раскручены, но это ничего, раскрутим.

— Но на это нужны очень большие деньги.

— О деньгах не волнуйся. Они есть.

— Значит, у нас будет и пиар-отдел?

— В дальнейшем. А пока будем действовать своими силами. Есть способы...

— Знаю. Игорь, но ведь я никогда книгами не занималась.

— Не выдумывай. Ты окончила филфак, у тебя есть вкус, ты вполне способна отличить литературу от макулатуры, знаешь языки, ты обаятельная, красивая женщина, с опытом руководства, и штат наберешь сама. Ну там бухгалтерия и производство будут на директоре.

— А директор-то кто?

— Директором будет мой дядя, Никита Семенович. Он в свое время начинал еще в «Худлите», съел не одну свору собак на этом деле и жаждет деятельности. Ему под шестьдесят, но он полон сил и решимости. При этом он очень ценит красивых женщин, так что вы, я уверен, споетесь. Фаина, поверь, игра стоит свеч.

— И на светские тусовки ходить не надо?

— А тебе охота?

— Боже избави!

— Вот и чудненько.

— Игорь, пять человек вполне осилят в месяц пять книг, но если объемы будут расти...

— Давай пока выпустим первый десяток, а там поглядим. У тебя есть на примете кто-нибудь?

— Попробую обзвонить своих однокурсников. А помещение у тебя есть?

— Есть. У меня практически все есть, но я рассчитывал на Вадика Смирнова, а он возьми и помри.

— А он что-то успел?

— Практически ничего, только принес три книги. Так что... тебе и карты в руки.

— Слушай, а старые книги мы будем переиздавать?

— Что ты имеешь в виду?

— Знаешь, у меня в детстве были детские книжки еще моей прабабки, они рассыпались в прах. А почему-то их сейчас не печатают.

— Детские? Ну не знаю, не думал.

— Игорь, подумай, наследников никаких, книги в основном исторические, это сейчас модно... Например, «Цербстская принцесса», о детстве Екатерины Второй.

— Мысль неплохая, но это потом. А пока у меня есть два суперских детектива...

— А что с художниками? Неизвестных авторов надо классно оформлять.

— Верно мыслишь, молодчина. Художник есть.

— Кто?

— Марина Касаткина, слышала?

— Нет, но это ничего не значит.

— Я специально привез тебе две ее книжки. Глянь.

Он достал из кейса два прелестно оформленных томика.

— Нравится?

— Очень. Броско, современно. А кстати, Игорь, редактор с романскими языками нам не нужен. Это я буду делать. И вообще, в штат брать редакторов с языками нет смысла. Если что-то будет, отдадим на сторону. Старым, опытным, не халтурщикам.

— Правильно.

— А пять книг в месяц... хватит и трех человек.

— Думаешь?

— Уверена. Только пусть люди, если хотят, работают дома. Такая работа продуктивнее. Человеку не надо торчать в пробках. Да и вообще...

— Фаина, я, кажется, сделал правильный выбор. Ты еще не приступила к работе, а уже сэкономила две зарплаты! Супер!

— Игорь, а может, нам на первых порах не нужен офис? Как-никак кризис, при наличии компьютеров можно держать постоянную связь. И не тратить время на разъезды. Опять же большая экономия.

— Да ну, это как-то несолидно... А куда будут приходить авторы? Нужна атмосфера...

— Да, возможно, ты прав. Атмосфера много значит. Надо, чтобы людей к нам тянуло. У тебя большое помещение?

— Нет, не очень. Но там надо навести уют. Осилишь? Или дизайнера лучше нанять?

— Не знаю. У тебя есть какие-то соображения?

— Да нет, я по этой части не силен.

— Не надо дизайнера. Сами справимся. И дешевле будет.

— Что ты все о деньгах? Есть деньги.

— Игорь! Лучше людям платить за важную для нас работу.

— О! Такого главреда авторы будут носить на руках!

Он все посматривал в сторону входа.

— Ты еще кого-то ждешь?

— Да один человек должен подойти. Значит, ты принимаешь мое предложение?

— Да! Вот только как сказать Аните...

— А мы вместе скажем. Она с минуты на минуту должна появиться. Я с ней договорился.

Кажется, мне повезло.

— А Анита знает, зачем ты ее позвал?

— Нет.

— Для нее это будет удар... Хотя у меня есть кандидатура на мое место. Ваня Тучков ушел из газеты. Он жесткий, сумеет держать в руках эту шоблу... И к тому же мужик.

— Обалдеть! Я сам хотел предложить Аните его кандидатуру. Боялся, что он не согласится идти в женский журнал, и решил прощупать почву. Он, к моему удивлению, очень обрадовался. Ванька отличный парень, только совсем не лидер, и ему будет хорошо с Анитой. И он без особых амбиций, у него трое детей, ему главное — пересидеть кризис с хорошей зарплатой.

В этот момент в дверях появилась Анита, как всегда, безукоризненно элегантная и стильная.

— Фаинчик, а ты что тут делаешь?

— Анита, садись, — вскочил Игорь. — Есть важный разговор.

— Ты сманиваешь Фаину?

— Да! Уже практически сманил. Ей тяжело в журнале.

—Значит, ты опять меня бросаешь? — воскликнула она.

— Анита, не волнуйся, на ее место есть отличная кандидатура. Просто отличная.

— Кто?

— Ваня Тучков.

— Но что Ваня понимает в нашем деле? Бред. Он ничего не смыслит в моде. И вообще ни в чем. Нет. Фаина, тебе не стыдно бежать с поля боя?

— Анита, побойся Бога! — закричал Игорь. — Почему Фаина должна молча сносить всякие пакости и тратить на это время и нервы? Мужика твои суки гнобить не станут, а если они у тебя хотя бы профессионалки, то Ванька на раз разберется во всем. Он парень талантливый, с сильным характером, через месяц освоит ваши премудрости, подумаешь, бином Ньютона! Вы ж не синхрофазотрон строите. Поверь мне! Поговори с ним.

— Фаинчик, ты твердо решила?

— Да. Я больше не могу. Наверное, даже я сама во многом виновата, но я не могу и не хочу с ними воевать. Мне их жалко.

— Жалко? — в один голос воскликнули Анита и Игорь.

— Да.

— Ты ненормальная, — проговорила Анита. — Но я уважаю твою позицию. Игорь, а Иван согласится?

— В принципе уже согласился. Хочешь сейчас же с ним свяжу.

— Давай, что мне остается?

Мы договорились, что в течение двух недель я буду вводить Ивана в курс дела, а потом займусь издательством. Настроение у меня было просто роскошное. И такие перспективы! Если все получится, то... Тьфу, тьфу, тьфу, чтоб не сглазить! Первым делом, прямо из машины, я позвонила своей однокурснице Тане Гореловой. У нее было удивительное языковое чутье и отличный вкус.

— Таня? Привет, это Фаина Крупенина.

— Файка? Ты? Откуда? Ты же вроде в Италию уехала, или это был ложный слух?

— Нет, уезжала, но вернулась. Тань, что у тебя с работой? Ничего, что я сразу к делу?

— Я на той неделе потеряла работу. А ты можешь что-то предложить? — голос ее звучал настороженно.

— Именно! Пойдешь редактором в новое издательство?

— Новое? Кто-то открывает новое издательство в кризис?

— Представь себе. И я там буду главным редактором.

— Ты не шутишь?

— Кто же так шутит? Все более чем серьезно.

— Фаечка, ты меня просто спасаешь, я уже впала в депрессию... И вдруг ты! Знаешь, мне ночью приснилось, что я стою на балконе над морем и любуюсь лунной дорожкой... Мне лунная дорожка всегда снится к переменам... Фай, а зарплата приличная?

— По нынешним временам да, а главное, можно работать дома.

— Господи, Фаечка, это просто чудо! У меня мама хворает, и для меня возможность дома работать...

— Тань, я так рада! Надо увидеться. Кстати, ты не знаешь еще кого-то? Мне нужен еще хотя бы один человек. Но с нормальным характером, вменяемый.

— Знаю! Ирка Литвиненко, она одна растит сына, и для нее такая работа просто спасение!

— Она сейчас без работы?

— Нет, но там каждый день присутственный, и она разрывается. Ты ее помнишь?

— Смутно.

— Она классная девка! Ох, Файка, я так обрадовалась, что даже не спросила, что за издательство? Как называется?

— Называется «Граф Шувалов».

— «Граф Шувалов»? — удивилась Таня. — А почему?

— Хозяин Игорь Шувалов. Он утверждает, что из тех Шуваловых. А какая нам разница? Идеи у него самые благие.

— Правда, какая нам на фиг разница? Лишь бы не прогореть за месяц... Хотя мне в моем положении и месяц с зарплатой благо.

— Танька, кончай с пессимизмом! Все у нас должно получиться! Главное, обойтись без склок. Когда работаешь дружно, все намного легче.

— Да... Начинать новое дело с единомышленниками — это здорово... Файка, сколько мы не виделись?

— Года два.

— Ты одна?

— Одна. Хотя теперь уже не одна, а с издательством, — засмеялась я и вдруг отчетливо поняла, что тоже успела влюбиться в мужа итальянской графини.

— С издательством или с издателем? — уточнила Таня.

— С издательством, — отрезала я. — А как твой Дима?

— Димка? Он уехал в Индию.

— С концами?

— Похоже на то.

— Крышу снесло?

— Боюсь, что так. Испугался кризиса и умотал.

— А тебя оставил одну?

— Фай, тебя это удивляет? Меня уже нет.

— Честно говоря, меня тоже не удивляет. Ну и бог с ним.

— Черт.

— Что? — не поняла я.

— Черт с ним.

— А, ну да... Короче, подруга, теперь начинаем жизнь с чистого листа. В понедельник, нет, лучше во вторник мы встретимся, пригласи Иру, и поговорим уже предметно. Игорь мне завтра передаст все, что у него есть в портфеле, я посмотрю, первоочередное отдам тебе и Ире, если она согласится. Девиз — никакой макулатуры и хороший русский язык.

— А с такими принципами мы продержимся?

— Попробуем.

— Файка, знаешь, мне кажется, все получится! Лунная дорожка мне снится к добрым переменам.

Меня радостно лихорадило. А вечером я увижу Степана... И он назовет меня Фиником. Как он нахально заявил, что у меня отвратительное имя... А я нисколько не обиделась, сама терпеть не могу свое имя. Надо сегодня выглядеть на все сто, чтоб он ахнул... И я знала, что в таком настроении у меня это получится!

Но не получилось ничего. Оказалось, что Степан Петрович неожиданно для всех улетел.

— У него что-то там случилось, — огорченно объясняла Мария Ипполитовна. — Я думала, он пробудет еще неделю, но вот... — Она беспомощно развела руками.

А я отчетливо поняла — он испугался.

— А по-моему, мама, — сияя обаятельной улыбкой, произнес Михаил Петрович, — Степка просто потерял голову от Фаины и поскорее драпанул. А то графиня будет недовольна.

Я вспыхнула. Обаятельный, но бестактный тип.

— Фаина, о чем он говорит? — посмотрела на меня Мария Ипполитовна.

— У Михаила Петровича буйная фантазия.

— Да он просто всех по себе судит, — заметил Леонид Петрович. — Он сам к вам неравнодушен.

— Мальчики, вы очень бестактны оба! — укорила их мать. — Это все ваши жены...

А я вдруг обрадовалась. Ну улетел и улетел. Это хорошо, с глаз долой... А то я уже чувствовала, что могу опять вляпаться в безумную и безнадежную любовь. Было в нем что-то очень для меня привлекательное. Но он сбежал... Ну и ладно. По крайней мере буду утешаться тем, что эта гипотетическая любовь была бы небезнадежной. А так... Скоро все пройдет и забудется. Я его и видела-то всего два раза. И на этом этапе жизни очень даже хорошо, что сбежал. Мне сейчас не о мужике думать надо, а о новом издательстве. И я решила сменить тему.

— Мария Ипполитовна, знаете, я ухожу из журнала, — заявила я.

— Как, почему? — огорчилась она.

— Мне сделали весьма заманчивое предложение, и никто иной, как Игорь Шувалов.

— Боже мой! А как же...

— Не беспокойтесь, ваша колонка останется! Я уже говорила с Анитой...

Вечер прошел довольно вяло, и я пораньше ушла. Надо же, так струсил, что сразу смылся. Тоже мне, герой-любовник, тьфу! Обида и разочарование боролись во мне с презрением и время от времени закрадывалась мысль — а вдруг у него действительно что-то случилось? Может же такое быть? Но почему же он тогда не сказал матери или братьям, что именно у него стряслось? Нет, он просто сбежал... от меня. Почувствовал, что влюбился, и драпанул... Я стала подбирать синонимы: дал деру, смотал удочки, слинял, смылся, унес ноги, свинтил, сплыл. Что там есть еще? Убежал, так что пятки сверкали, задал стрекача, сквозанул... Одним словом, картина, как ни подбирай определения, получалась неприглядная. От этого стало легче. И я уснула.

Прошел месяц. Гунар не появлялся, но розы продолжали поступать с полной регулярностью. Я пыталась ему дозвониться, но тщетно, и я махнула рукой. В конце концов, что плохого в свежих розах? Работа в новом издательстве кипела, и я, несмотря на все сложности, возникающие по ходу дела, наслаждалась атмосферой в нашем пока еще крошечном коллективе. Директор, Никита Семенович, очаровательный дядька, похоже, был счастлив, что вокруг него одни женщины, и нежно о нас заботился. Игорь заглядывал к нам достаточно часто и буквально расцветал.

— Фаина, ты супер! — восклицал он, когда я отчитывалась перед ним. — Но тебе нужна секретарша.

— Пока нет, — твердо отвечала я, — если начну зашиваться, я тебе скажу.

— Но это не солидно!

— Ерунда, зато демократично. И у нас еще нет наплыва...

— Скоро будет! Вот увидишь! Кстати, я договорился с Ивлевым. Его здорово обидели в одном издательстве, я предложил ему перейти к нам. И он завтра придет.

— Да ты что? Здорово. Ивлев такой писатель... Что он нам предлагает и что мы можем предложить ему?

Мы обсудили все денежные вопросы.

— Фаин, это еще не все, — таинственным тоном произнес Игорь и подмигнул мне.

— Что еще?

— Не поверишь!

— Игорь!

— Ты слыхала про Кевина Рейли?

— Нет, а кто это?

— Это новый Дэн Браун, только лучше.

— И что?

— А то, что я с ним договорился. Он продаст нам права. И мы — в шоколаде!

— Но его же надо переводить еще.

— Переведем, в чем проблема? Но надо сперва закрепить успех, а для этого мы с тобой послезавтра летим в Париж.

— Зачем?

— Ты говоришь по-французски?

— Хуже, чем по-итальянски, но говорю.

— Летим втроем: ты, я и юрист, Анна Григорьевна Гурова, классный спец по авторскому праву.

— Но этот Рейли, скорее всего, предпочел бы говорить по-английски, но тут я пас. Английский у меня очень слабый.

— В том-то и фишка! Он родился и вырос во Франции, помешан на французской культуре и пишет тоже по-французски. Это раз. Во-вторых, он любит красивых женщин. И в конце концов, ты главный редактор, тебе необходимо знакомиться с авторами. И если все выгорит...

— А ты его читал?

— Читал, не оторваться! Наши монстры пока еще не чухнулись, а я уже подсуетился. Кстати, у тебя есть шенген?

— Да, у меня виза действительна до февраля.

— Отлично. После Нового года надо сделать новую, чтобы в любой момент можно было лететь, куда потребуется.

— Игорь, я как-то даже не рассчитывала на международный уровень.

— И зря! Кстати, подумай, кому это отдать переводить. Но надо быстро.

— Игорь, надо не быстро, а хорошо. А то я тут купила книжку, вроде бы мировой бестселлер, а читать немыслимо, жвачка. Ты же печешься о репутации издательства.

— Конечно, но ты пойми, мы должны выпустить книгу самое позднее в мае.

— А объем?

— Двадцать листов. Я подумал, если отдать четырем переводчикам по пять листов...

— И что это будет? Кто в лес, кто по дрова... Хотя, если взять сильного редактора, который приведет все к общему знаменателю... Я подумаю. А вообще, давай пока это не обсуждать, мы ж еще права не купили.

— А мы и не обсуждаем, я просто дал тебе информацию к размышлению.

— Ну, если так... — засмеялась я. — Мы надолго летим?

— На три дня.

— Три дня в Париже... Восторг!

— Ты была в Париже?

— Была, но все равно. Париж есть Париж!

Игорь не поскупился, мы летели бизнес-классом. Анна Григорьевна оказалась вполне приятной дамой лет пятидесяти, в дороге они с Игорем все время обсуждали дела, а я сидела от них через проход и думала: удивительно, Игорь играет в моей жизни какую-то странную и очень важную роль. Ведь именно он, увидев фотографию в нашем журнале, узнал любимую женщину Родиона, сказал, что учился с ней вместе, и прозвал ее «девственной селедкой». Именно тогда Родион рассказал мне о ней, и я все поняла. А вот теперь он дал мне работу, которая настолько увлекла меня, что я и не думаю о Степане. А чего о нем думать... Но все-таки иногда ночью я вдруг вспоминаю его небритую щеку, его чуть хриплый голос и слова: «Я уже успел влюбиться в тебя...»

Анну Григорьевну в аэропорту встречала племянница, постоянно живущая в Париже, и увезла к себе. А мы с Игорем поехали в отель.

Отель оказался прелестным, старинным и явно безумно дорогим.

— Фаина, приводи себя в порядок, на все про все тебе полчаса, и встречаемся внизу. Пойдем ужинать, потом небольшой загул по Парижу и дальше спать. Завтра мы с утра встречаемся с агентом Рейли, а потом уже с ним самим. Ты с утра отправишься по важному и очень приятному делу, на встрече с агентом мы обойдемся без тебя.

— Какое это приятное дело?

— Утро вечера мудренее.

Когда я увидела цены в меню ресторана при отеле, у меня глаза полезли на лоб.

— Игорь, но зачем...

— Фаина, это чепуха. Только не говори, что эти бабки лучше потратить на авторов. Положение обязывает. Ты не знаешь этих буржуев. Здесь все имеет значение: и отель, в котором ты остановился, и ресторан, где ты ужинаешь...

— Да ладно, а если ты богат, как Крез, а у тебя плебейские вкусы?

— К русским это не относится. Короче, ешь все, что захочешь, поверь, я не разорюсь. И вообще, имей в виду, книгоиздание — это мое хобби.

— Собирать марки было бы дешевле.

— Прекрати говорить о деньгах, красивой женщине это не идет.

Я засмеялась, махнула рукой и заказала что-то очень изысканное.

Потом мы отправились в бар, потом гуляли по ночному Парижу, говорили, разумеется, об издательстве, и нам обоим было легко и хорошо.

Утром мы встретились в холле. Анна Григорьевна должна была появиться с минуты на минуту.

— Фаина, сейчас ты отправишься по магазинам.

— По книжным?

— О нет. По бутика́м.

— Игорь, надо говорить «по бути́кам».

— Да знаю, все вокруг говорят безграмотно, а это заразно. А почему ты не спрашиваешь, зачем тебе идти по этим самым бути́кам?

— А в самом деле, зачем?

— Вот тебе кредитка, и купи, пожалуйста, себе платье для коктейля, деловой костюм и вечернее платье. Ну и все, что к этому полагается.

Ну, там туфли, аксессуары и, наверное, меховую накидку к вечернему платью. На цены не смотри, главное, чтобы вещи были самых лучших фирм.

Я испугалась. Что это за дела? Он меня в содержанки вербует, что ли?

— Игорь, я не понимаю!

— Ты — лицо моей фирмы, но для лица фирмы одного лица и фигуры мало. Должны быть еще шмотки. Самые лучшие. Вот без брюликов можно обойтись, а без шмоток никак!

— Игорь, но это как-то...

— Ты не привыкла брать у мужиков деньги, я знаю. Но это не для тебя, а для меня, для нашего общего дела. Имей в виду, если дело с Рейли выгорит и у нас его оценят, я выделю тебе некоторый процент от прибыли.

— Не понимаю, я что, должна захороводить этого автора? А может, еще и в постель лечь?

— Понадобится — ляжешь!

— Игорь, я так не играю!

— Извини, пошутил! А кстати, этот Кевин здорово красивый малый. Может, это еще твое счастье. Ты ж до сих пор по Шахрину сохнешь?

— Игорь! — задохнулась я.

— Что Игорь? Об этом все знали. Я сам видел, как ты на него смотрела.

— Игорь, если ты намерен на правах хозяина фирмы лезть в мою личную жизнь, то я уйду из издательства.

— Прости, прости, больше не буду, но шмотки — это не твоя личная жизнь, это часть имиджа моего главного редактора, прости главного редактора моего издательства. Поверь, я знаю, что делаю. Эти затраты окупятся. Мы же не в последний раз будем охмурять буржуйского автора. Эти шмотки еще пригодятся не один раз. Вкус у тебя отличный, так что ступай и оторвись по полной программе. И еще раз прости за хамские выпады. У меня в Париже всегда слегка сносит крышу.

— Прощаю. А если я пойду к Шанель?

— Куда угодно!

И, хотя история со шмотками для имиджа главреда мне не слишком нравилась, не люблю быть обязанной кому бы то ни было, но женщина есть женщина, и остаться вовсе равнодушной к выбору роскошных нарядов я не смогла. У Шанель я купила маленькое черное платье в качестве вечернего и зеленое для коктейля. А деловой костюм я обнаружила у Кристиана Лакруа, светло-серый и безумно элегантный. Купила три пары туфель, шарфик и сумку... Покупки мне доставят в отель. До встречи с Игорем и Анной Григорьевной оставалось еще много времени, а я здорово проголодалась. Несмотря на роскошь и дороговизну отеля, завтрак там был по-французски убогим. Кофе, круассаны, джем и немножко сыра. Правда, его подавали в номер. Зато сейчас я зайду в хороший ресторан и непременно с французской кухней. Я шла по улице, Париж уже готовился к Рождеству и был, если возможно, еще прекраснее, чем всегда. К тому же светило солнце. И настроение у меня было превосходным. Вдруг позвонил Игорь.

— Как дела, госпожа главный редактор? Муки выбора?

— Нет, господин издатель, выбор сделан, туалеты отправлены в отель. Сейчас собираюсь перекусить. Информация исчерпывающая?

— Абсолютно! Но где ты находишься?

— Как где? Разумеется, на Елисейских полях.

— Я прошу тебя быть не позднее четырех. Рейли сам приедет в отель. К пяти.

— Отлично. Буду.

Я вдруг почувствовала, что если не съем немедленно хоть что-то, просто упаду в обморок. И я зашла в первое попавшееся кафе. Мне было уже не до гурманства.

Через полчаса, счастливая и довольная, я пила кофе с потрясающим черничным суфле. Вполне могу не спешить. Хорошо!

И вдруг я ощутила какое-то странное волнение. Я подумала, с чего бы это? Прислушалась к себе и поняла с пугающей отчетливостью: у меня внутри живет любовь, нерастраченная, никому, по сути, ненужная. Она то сжимается, как пружина, но вдруг может разжаться... Однажды несколько лет назад я впервые вдруг осознала, что способна на большую любовь, и буквально через два часа встретила Родиона. Я помню это ощущение... помню весь тот день... Я посмотрела тогда в глаза совсем незнакомому мужчине и ощутила боль — это разжалась пружина... А сейчас это к чему? К встрече с Рейли? Мне стало интересно. Я махнула гарсону, пусть подаст счет. В этот момент в кафе вошли мужчина и женщина. Он снял плащ, а женщина села за столик, не снимая толстого твидового жакета. Я чуть не закричала. Это был Степан Петрович. Он меня не видел. Я ощутила резкую боль под ложечкой — это разжалась пружина.

Женщина с ним была его женой, я узнала ее по фотографии. Гарсон принес счет. Я медлила. Я не знала, как мне быть. Обнаружить себя? Или постараться уйти незамеченной? Хотя почему? Между нами ведь ничего нет и не было... И не будет! Вот в чем ужас. Не будет, потому что он боится меня. Или себя? А это не важно. Важно, что боится.

— Мадам готова заплатить? — спросил гарсон.

— Пожалуй, нет, мадам хочет еще черничного суфле! — неожиданно для самой себя сказала я.

— Мадам понравилось?

— О, очень!

— У мадам отличный вкус!

И в этот момент Степан меня увидел. На лице его отразилось изумление, а потом... Восторг. Он что-то сказал жене и вскочил. Шагнул к моему столику:

— Вот так встреча!

— Добрый день, Степан Петрович!

— Какими судьбами?

— Командировка.

— Боже мой, как я рад... Мне пришлось тогда улететь...

— Вернее, унести ноги, да?

— Ты поняла?

— Это не так сложно, подумаешь, бином Ньютона.

— Ты обиделась?

— С чего бы это? Кстати, мы на брудершафт не пили.

— Обиделась... Попробуй меня понять...

— Я вас поняла, не обиделась, но продолжать эти игры не намерена.

Гарсон поставил передо мной ненужное уже суфле. Я машинально ковырнула его ложкой. Степан топтался возле столика. Я не приглашала его сесть, сам он сесть не решался, и отойти, видимо, не было сил.

— Стефано! — окликнула его жена.

— Прости меня, если сможешь.

— Нет, не могу! — вырвалось у меня. Я чувствовала, что вот-вот разревусь. Я вытащила деньги, швырнула на стол и выскочила из кафе.

Но пружина уже разжалась.

Кевин Рейли оказался и вправду очень красивым мужчиной, лет тридцати пяти, с виду типичным американцем — белозубым, улыбчивым, загорелым, с синими яркими глазами, чем-то он напомнил мне кумира моей мамы, Дина Рида. Его агент, пожилой француз, был весьма любезным, но неуступчивым. И все-таки мы их победили. Я старалась вовсю, Анна Григорьевна была тверда, у Игоря в глазах сверкали искры азарта, Рейли был воодушевлен разгоревшимся торгом, но в конце концов обе стороны остались вроде бы довольны друг другом. Мсье Леблан вызвал по телефону девушку из русских эмигрантов, которая будет представлять интересы Рейли в России. Девушка оказалась некрасивой, похожей на пародийный образ училки-старой девы, но с гонором и каким-то, я бы сказала, генетическим презрением ко всему, что связано с ее исторической родиной, а именно с Россией.

— Игорь, она нам всю обедню испортит, — шепнула я после пятиминутного разговора с ней.

— Ерунда! Ничего она не испортит.

Он пребывал в эйфории.

— Анна Григорьевна, отойдем в дамскую комнату, — тихонько взмолилась я.

— Разумеется.

Мы извинились и вышли.

— Анна Григорьевна, надо что-то делать, эта щучка вымотает нам все нервы.

— Вы думаете?

— Мне вообще кажется, что все слишком гладко прошло, а этот Леблан тот еще жук. Полагаю, что кто-то из наших конкурентов пронюхал про Рейли и уже закинул удочку, а этот жук сейчас сдерет с нас деньги, она будет затягивать издание, мы нарушим сроки и вмажемся в неустойку, а они еще разок продадут права.

— Они вписали в договор право представителя браковать оформление...

— И вмешиваться в перевод... С такими полномочиями они нас без ножа зарежут.

— В самом деле... Тем более что девица уж очень мерзкая. А вы молодчина. Я как-то расслабилась. Париж, что ли, так действует или обаяние автора. Каков красавец, вы не находите?

— Не люблю красавцев.

— А я, грешным делом, обожаю! Не волнуйтесь, я знаю, что делать.

Мы вернулись за стол, и Анна Григорьевна стала снова просматривать проект договора.

Девица, которую звали Зинаида Голицын, именно так она представилась, пила вино.

— Зинаида, — обратилась я к ней по-французски, — скажите, вы давно были в России?

— В России? Я вообще там не была. И не поехала бы, если бы не работа.

— А когда вы собираетесь в Москву?

— Думаю, в апреле. Раньше мне там делать, собственно, нечего.

— А если книга будет готова раньше?

— Но существует же компьютерная связь.

— Безусловно. Однако я не уверена, что вы в состоянии адекватно оценить перевод...

— Почему это? — взвилась она.

— Потому что вы живете вне языковой стихии. Язык все время меняется, живет своей жизнью, книга в высшей степени современная, там необходимо употребление современных жаргонизмов, сленга, что вы об этом знаете? Кроме того, разумеется, в России есть еще заметное отставание от европейского стиля в оформлении, но что хорошо для России, что улетит мгновенно, в Европе просто могут не понять. Но вам в данном случае важно, чтобы книга именно хорошо продалась, это главное. А мы все-таки лучше знаем нашу аудиторию.

Игорь в недоумении смотрел на меня, а я смотрела на Рейли. Кажется, он врубился.

— Но существуют же какие-то общечеловеческие стандарты... — перепугалась девица.

— А зачем нам стандарт? Книга нестандартная, и оформление должно соответствовать. Но рынок-то наш, мы его знаем, у нас есть превосходные художники, печатать мы будем в Италии, и ответственность за все лежит на нас. Поэтому я бы предложила найти представителя в России, человека профессионального, а не просто говорящую по-русски девушку. У нас, как и у вас, сейчас кризис и полно профессионалов, которые за весьма скромное вознаграждение согласятся представлять ваши интересы! — я уже адресовалась непосредственно к Рейли.

— А ведь мадемуазель Фаина права! — сказал он по-английски, чтобы поняли и Анна Григорьевна с Игорем. — Мы действительно предпочтем найти представителя в России. И не будем возражать, если вы сами его найдете.

Он был просто хорошим парнем, этот Рейли, честным и неискушенным в издательских тонкостях.

А Леблан, кажется, понял, что его игру раскусили, но он был явно не дурак и сообразил, что мои возражения Рейли одобрил полностью. А ведь я и вправду была логична.

На Зинаиде Голицын просто не было лица.

Игорь, разобравшись, в чем дело, тоже поддержал меня. Мы договорились снова встретиться завтра для окончательного подписания договора. Сейчас на всякий случай подписали так называемый протокол о намерениях.

Наконец мы остались втроем.

— Ну, Фаина, ты даешь! — воскликнул Игорь и на радостях обнял меня. — Анна Григорьевна, до чего ушлая баба!

— Фаина молодец! А вы, Игорь, чуть не дали маху! И я заодно. Вам еще простительно, вы начинающий издатель, а я-то не одну собаку съела на этом деле, а тут прокололась, позор на мою седую голову!

Они говорили, а я сидела совершенно пришибленная. Я так устала...

— Фаина, что с тобой? — обеспокоился вдруг Игорь.

— Ничего. Просто выдохлась. Я, наверное пойду лягу.

— Тебе надо выпить.

— Да, Фаиночка, выпить сейчас милое дело, — поддержала его Анна Григорьевна.

— Фаина, я не думал, что тебе так идет зеленый цвет... — вдруг заявил Игорь. — Кстати, Рейли от тебя в отпаде. Когда вы с Анной Григорьевной вышли, он сказал, что восхищен твоей красотой и элегантностью. А я лично восхищен в первую очередь твоим умом. Откуда что взялось, ты ведь тоже начинающий главный редактор. Работа в журнале — это совсем иная история.

— Сама не знаю, как это получилось. Просто, когда эта выдра появилась, я сразу все поняла. Интуиция...

— Нет, надо не тобой восхищаться, а мной, ведь это я взял тебя на работу.

Мы рассмеялись.

За Анной Григорьевной заехала племянница. И я вдруг поняла, что безумно боюсь остаться одна. Эта встреча со Степаном... Стефано! И разжавшаяся пружина... Внутри все кровоточит. Что я за идиотка? Ведь давно уже все с ним ясно... Дура, кретинка! Но как больно!

— Пойдем в загул? — предложил Игорь.

— Пойдем, только не очень надолго. И еще мне надо переодеться, на таких каблуках пускаться в загул по Парижу я не в состоянии.

— Отлично. Даю четверть часа.

Я поднялась в номер. Стараясь не думать ни о чем, сбросила туфли, роскошное платье и влезла в брюки и свитер. Странно, я хорошо выгляжу, хотя внутри все болит. Видно, это еще возбуждение от переговоров. Я не стала ждать лифта и пошла вниз пешком. На площадке я задержалась, проверила мобильник, нет ли сообщений. И вдруг каким-то новым взглядом увидела Игоря. Он стоял внизу и смотрел на меня. И в его глазах было что-то лишнее, как мне показалось. Это не был взгляд работодателя на хорошего работника. Это был взгляд мужчины. А мужчина он был видный. И лицо доброе. Но я уже люблю этого окаянного труса, мужа графини. Я теперь буду мысленно называть его только мужем графини. Кстати, графиня не слишком интересная женщина. Но зато графиня.

— Фаин, ты чего?

— Ничего. Пошли!

— Пошли! Куда глаза глядят?

— Именно!

Мы долго бродили по улицам, говорили об издательстве, о наших общих планах, мне было легко с ним. И даже весело.

— Ну все, я хочу где-то посидеть, — вдруг заявил Игорь.

— О, я с удовольствием. И я бы чего-нибудь съела, а то этот обед с Рейли как-то прошел мимо меня.

— Отлично! Чего ты хочешь?

— Рыбы! Мои мозги нуждаются в подпитке фосфором.

— Как мне нравится такая определенность желаний. Терпеть не могу, когда бабы начинают выламываться. Тут недалеко есть чудный рыбный ресторанчик.

— Я смотрю, ты хорошо знаешь Париж?

— Я в молодости год жил в Париже, учился. С тех пор обожаю его.

— А почему ж ты не говоришь по-французски?

— Я неспособен к языкам, они мне очень тяжело даются. С грехом пополам выучил английский, без него никак, а с французским хуже. То есть я многое понимаю, но говорю чудовищно и стесняюсь этого.

Ресторанчик с виду был никакой, но народу там оказалось много. К счастью, столик для нас нашелся.

— Выпьем вина?

— Выпьем.

Мы сделали заказ. Игорь вдруг взял мои руки в свои. Сжал.

— Фаина, знаешь, ты удивительная женщина.

— Нет, Игорь, я просто дура.

— Напрашиваешься на комплименты твоему уму?

— Нет, констатирую факт.

— Ты так горько это сказала... Скажи, ты... одним словом, у тебя сейчас кто-то есть?

— Нет.

— Знаешь, я что подумал... Мы взрослые люди... Как там говорил Пьер Безухов... если бы я был не я... ну помнишь?

— Помню.

— Короче, я женат, но это уже чистая формальность. И по ряду причин я сейчас не могу быть свободным... Но это поправимо... — Он крепко держал мои руки. — Так вот, давай попробуем пожить вместе, а? Нам хорошо вдвоем, легко, мне, по крайней мере, хотя такие штуки не бывают односторонними... мне кажется... У нас куча общих интересов, мы отлично понимаем друг друга... У нас общее дело...

— Игорь, но мы же... мы не любим друг друга.

— Говори за себя, — буркнул он.

Я испугалась. Работа и любовные отношения плохо сочетаются, а я успела полюбить эту работу, но не Игоря.

— Фаина, знаешь, ты не отказывайся сразу, подумай, ты уже не девочка, и я отнюдь не мальчик. Но нам еще не поздно... и мне уже не нужны или еще не нужны молоденькие жадные девчонки, а ты... Ты то, что надо! В конце концов, чем ты рискуешь? В любой момент можешь уйти... Я не тиран, не злодей, но мне кажется, мы могли бы быть вместе. Знаешь, из страстной любви мало что получается: остыли — и все, одни разочарования... Почему ты смеешься?

7-1474и

— Знаешь, мой отец давно внушал мне, что если люди женятся не по любви, они в браке будут открывать друг в друге какие-то достоинства...

— Твой отец мудрый человек. Но дело в том, что я уже открыл в тебе массу достоинств... За то время, что мы работаем вместе... Смешно, но в Москве я последнее время ловил себя на мысли, что мне в издательстве лучше и уютнее, чем дома. Я ведь уже полтора года живу один, и я...

Я вдруг дрогнула. Игорь — это не Серджио, Москва родной город, там у меня мой дом, правда, соседка каждый день будет напоминать мне о том, что и второй раз в жизни пружина разжалась зря... Мне опять ничего не светит, хоть он, похоже, влюблен в меня, этот окаянный муж графини...

Игорь что-то уловил в моих глазах.

— Фаина! Ты колеблешься? Это уже прекрасно. Ты не думай, я все это не к тому, чтобы тащить тебя сегодня в койку... Хотя безумно этого хочу, чего уж тут скрывать... Но мне кажется, у нас получится. Ну, если, конечно, я не противен тебе...

— Отпусти мои руки, — взмолилась я.

— Значит, противен?

— Дурак, — сказала я и погладила его по щеке. Я вдруг почувствовала себя защищенной.

— Значит, ты согласна?

— Попытка не пытка.

— Фаина! — он стал целовать мои руки. — Я ушам своим не верю... Это такое счастье... Скажи... ты все еще любишь Шахрина?

— Нет.

— И никого не любишь?

— Не хочу начинать с вранья. Мне кажется, что люблю одного человека, но он живет в другой стране, он женат, и между нами ничего не было.

— И ты говоришь, что любишь его?

— Мне так кажется, я просто хочу быть честной. Но если мы будем вместе... Может быть, я с легкостью забуду его. Я хочу его забыть.

— Клянусь, я сделаю все, чтобы ты его забыла. Я так загружу тебя работой, что ты и не вспомнишь о нем. Нам будет хорошо вместе... Ты переедешь ко мне?

— Да... Но не сразу...

— Почему?

— Не знаю...

— Ерунда, мы прямо из аэропорта поедем ко мне. Посмотришь мою квартиру, а захочешь, можно жить за городом. Да, за городом лучше...

— Каждое утро и вечер торчать в пробках? Нет уж. За город будем ездить на выходные, и я буду готовить тебе что-нибудь жутко вкусное. Я очень хорошо готовлю...

Его глаза так сияли... Они у него светло-серые... И руки большие и добрые. Очень даже привлекательные руки. И я вдруг представила себе, как вечером мы сидим у камина, говорим об издательских делах, я кладу голову ему на плечо, он ласково гладит меня по голове...

— А где ты хочешь встретить Новый год? — вдруг спросил он.

— Новый год? Я всегда встречаю его у родных, у тетки с дядькой и с двоюродным братом...

— А меня возьмешь с собой?

Мне вдруг так понравилось, что он не стал мне предлагать какие-то экзотические поездки, а просто попросился со мной к тете Соне...

— Возьму! Они будут здорово рады... Они такие чудные люди, они практически вырастили меня...

— Почему?

И я рассказала ему о своем детстве, о матери с Медузом, об отце и Карлотте... О едва не состоявшейся свадьбе с Серджио и даже о Цицероне.

— С ума сойти! — воскликнул он. — У меня был кот, и его звали Цицерон!

— Нет, правда? — пришла в восторг я.

Это было последней каплей. Я согласилась.

— А теперь расскажи о себе, я ведь тоже о тебе ничего не знаю.

— Нет, это завтра. У нас ведь есть еще завтрашний вечер... А сейчас только о тебе... Я... Я добьюсь развода, я обещаю...

— Подожди, Игорь, не надо спешить.

— Почему?

— А вдруг у нас не получится? Мало ли...

— Получится, я точно знаю.

— А я не уверена... У меня отвратительный характер.

— Не выдумывай. Ты самая лучшая женщина из всех, кого я встречал. И я хочу быть с тобой... Быть, понимаешь? Не просто переспать, а засыпать и просыпаться рядом. И сидеть рядом на диване, вечером, когда уже нет сил даже говорить... Просто молча сидеть рядом...

Он как будто прочитал мои мысли...

— Игорь, я... Я так тебе благодарна...

— За что?

— Это я тебе скажу когда-нибудь потом. Да, кстати... Ты сегодня велел мне купить шмотки...

— Ну и что?

— А будь на моем месте другая женщина, к которой ты был бы совершенно равнодушен... Ты сделал бы то же самое?

— Сделал бы. Я ж не любимую женщину одевал, а главного редактора... Впрочем, нет, все-таки любимую женщину... — засмеялся он. — Хотя не знаю... К черту это все, я сегодня просто жутко, кошмарно счастлив, даже не предполагал, что способен еще на такие чувства... Повтори, пожалуйста, повтори еще разок, что ты согласна.

— Я согласна.

— Тогда все. Пошли.

— Куда?

— В отель. Но ты не думай...

— А я вот думаю...

— О чем? — даже слегка испуганно спросил он.

— Мы же не дети, и прежде чем строить планы... нам надо... узнать друг друга... получше, а то вдруг мы не подходим друг другу...

— Фаина!

Мы вышли на улицу, и он схватил меня, прижал к себе и начал целовать. Мне понравилось. Только на мгновение подумалось: муж графини сейчас здесь, в Париже...

Мне понравилось и все остальное. А главное, понравилось чувствовать себя любимой... И желанной. Мне так давно этого не хватало.

Утром Игорь сказал:

— Пошли куда-нибудь завтракать. Мне эти круассанчики с джемом на один зуб!

— Пошли! — засмеялась я.

— У меня просто волчий аппетит!

— И у меня!

Когда мы утолили первый голод, он вдруг поднял от тарелки смеющиеся глаза и спросил:

— Кажется, жизнь налаживается, а?

— Похоже на то!

Часть четвертая

Чем сердце успокоится...

Из аэропорта мы поехали ко мне.

— Ты позволишь мне подняться? Очень хочется взглянуть на твою квартиру.

— Зачем?

— Чтобы представлять себе, где и как ты живешь без меня.

— Пошли! — согласилась я. Мне это было приятно. Мне вообще было приятно с ним, и рана, нанесенная разжавшейся пружиной, при нем меньше болела. Даже почти совсем не болела.

Возле двери стояли в ведерке два букета роз. Видимо, Марии Ипполитовны не было дома. Ах да, она же на неделю уехала в подмосковный пансионат.

— Это что такое? — насторожился Игорь. — От кого эти цветы?

— От одного психа... Уже не первый месяц шлет цветы, сам не появляется, я пыталась прекратить эти поставки, но он не берет трубку.

— Можно я их выкину в мусоропровод?

— В мусоропровод жалко, поставь их возле мусоропровода, авось кто-нибудь заберет.

Он так и сделал. Я открыла дверь. В квартире тоже стояло несколько уже привядших букетов.

— Фаинка, ну что это такое?

— Эти можешь уже выбросить.

— И выброшу! Дай мне большой пакет, я их вынесу в мусорку.

— Игорь, так решительно? Куда ты спешишь?

— Я не хочу на них смотреть. Я сам завалю тебя розами...

— Пожалуйста, не надо роз! Я их уже возненавидела! И вообще, не надо меня ничем заваливать, ладно?

— Странная женщина, обычно ваша сестра просто жаждет, чтобы ее заваливали и цветами, и мехами и брюликами.

— Ой нет, не надо.

— Тогда я завалю тебя работой.

— Это пожалуйста!

— У тебя тут очень мило. Но тесновато.

— Мне хватает.

— А ты переедешь ко мне?

— Да. Поцелуй меня...

И едва он сжал меня в объятиях, раздался телефонный звонок.

— Начинается! Алло!

— Фаинка, ты приехала, чего не звонишь?

— Сонечка, я только вошла...

— Тогда приходи к нам обедать.

— А можно я приду не одна?

— А с кем? — всполошилась Соня. — С мужчиной?

— Да.

— Ой, а кто он?

— Мой работодатель.

— У тебя с ним что-то закрутилось?

— Ага.

— Какое счастье! Хорошо, но в таком случае мне надо еще минут сорок... Годится?

— Вполне!

— Куда это ты пойдешь с работодателем? Какое, кстати, противное слово!

— Это моя тетушка, она живет в соседнем подъезде.

— Та, которая тебя вырастила?

— Да. Они чудные...

— Буду счастлив с ними познакомиться. Господи, Фаина, у меня голова идет кругом от радости! Мне казалось, я не могу рассчитывать... И вдруг... Иди ко мне.

— Не сейчас, надо разобрать чемодан.

— Нет, сейчас, сию минуту...

В результате мы явились к Соне не через сорок минут, а через полтора часа.

Игорь взял с собой бутылку французского коньяка, купленную в Париже. У меня тоже были подарки для Сони и Юлика.

После восклицаний, рукопожатий и поцелуев сели наконец за стол. Игорь стал рассказывать о наших парижских делах, о том, какая я умная и замечательная. Соня, сияя, поглядывала на меня.

— Фаиночка, помоги мне с жарким, — попросила она после вкуснейшего супа из тыквы, которым Игорь безмерно восхищался, а Соня сообщила ему, что это Фаина научила ее варить такой суп, и это было истинной правдой.

Мы вышли на кухню.

— У вас это серьезно?

— Кажется...

— Он женат?

— Да, но полтора года живет отдельно от жены.

— Ты его любишь?

— Нет, но я... Мне с ним хорошо.

— Вот и ладно! Много ли толку от твоих безумных любовей... Такой милый мужик, интересный, похоже, богатый... И влюблен в тебя по уши...

— А можно мы на Новый год вместе придем?

— А он согласится? Он небось повезет тебя в Куршавель...

— Да что мне там делать? Нет, мы придем к вам. Он уже согласился.

— Здорово! — умилилась Соня. — Да, звонил Виталька, спрашивал про тебя, я сказала, что ты в Париже, что поменяла работу... Он не знал, как это может быть?

— Так... Ему, значит, не интересно, Карлотта не может мне простить Серджио...

— Бред какой-то! Она же вроде тебя любила.

— Знаешь, мне все равно. И пошли уже, а то это неприлично. Все же понимают, что мы с тобой тут обсуждаем Игоря.

— Ой, правда!

— Какие очаровательные люди! — восхищался Игорь. — Милые, доброжелательные, тебя так искренне любят... Прелесть просто, я уж отвык от такого...

— Привыкай!

— А может, мы сейчас поедем ко мне, посмотришь мою холостяцкую берлогу, что там надо поменять до твоего переезда?

— А поехали!

В машине он мне заявил:

— Сию минуту отправь эсэмэску этому кретину с розами.

— Зачем?

— Чтобы прекратил эту дурь, а то будет иметь дело со мной. Напиши: я выхожу замуж — и хватит роз.

А что? Это была простая и мудрая мысль. Я написала: «Гунар, спасибо за розы, но поставки надо прекратить. Я выхожу замуж», — и отправила. «Сообщение доставлено», было мне ответом.

И вдруг Игорь резко затормозил, повернулся ко мне.

— Это его ты любишь, кажется, любишь?

— Нет, — с облегчением рассмеялась я.

— А кто тот?

— Игорь, он живет в другой стране, и вообще... не будем о нем говорить... Я вот даже не вспоминала о нем эти два дня, а ты напомнил. Зачем? Я забуду его. Я не уважаю этого человека. А любовь без уважения не так дорого стоит... Ну, по крайней мере для меня.

— У, какая ты... Все, больше ты никогда от меня о нем не услышишь...

— Вот и чудесно!

Квартира у Игоря была роскошная, двухэтажная, с дивным видом на Москва-реку, но казалась мало обжитой.

— Не хватает женской руки, верно?

— Верно, — согласилась я.

— Но ты приложишь свою?

— Придется, а то, может, поживем у меня?

— Нет, у тебя там негде машину ставить, а тут подземный гараж, да и вообще, я люблю этот вид... И мне так хочется, чтобы любимая женщина навела здесь уют. Я ведь жутко много работаю, дома бываю мало, это я с тобой вдруг что-то расслабился. Ты хорошенько все посмотри, скажи, что надо сделать в первую очередь, что купить, что убрать... Ты ведь хочешь переехать после Нового года?

— Да, надо закончить все дела, а потом эти расслабушные новогодние каникулы, тогда и переберусь. Ой, Игорь, это не спальня, это казарма в стиле техно. Здесь надо все менять. Тут можно спать только с резиновой куклой, сделанной на заводе по конверсии.

Он озадаченно на меня посмотрел.

— Дядя Юлик, он же был инженером на каком-то секретном заводе, вот они после перестройки по конверсии изготовляли кукол из какой-то сверхрезины. Причем не детских кукол, а для взрослых озабоченных дяденек.

— Обалдеть! Но ты права... Я, правда, тут вообще не спал, спал на диване в кабинете. Все, завтра же велю вывезти всю мебель... И надо перекрасить тут стены, да?

— Да.

— В белый цвет?

— Да нет, лучше в цвет сливок или светло-кремовый...

Он вдруг расплылся в глуповатой улыбке.

— Если б неделю назад мне кто-то сказал, что Фаина будет решать, в какой цвет красить нашу спальню... Я бы не поверил. Все-таки жизнь прекрасна!

— Игорь, скажи, у тебя есть дети?

— Есть сын, ему уже двадцать три года, живет с моей первой женой в Канаде. Мы практически не общаемся... А ты хочешь ребенка?

— Хотела бы...

— Хорошо, что ты об этом заговорила... Ты была честна со мной... И я буду с тобой честен. У меня не может быть детей.

— Как? А сын?

— Я считаю его своим сыном... Он сын первой жены. Но если тебе это так важно... можешь считать себя свободной... Материнский инстинкт важнее...

Мне вдруг стало так его жалко, я подошла, прижалась к нему...

— Значит, не судьба мне иметь ребенка... Что ж...

— А давай возьмем из детдома, а?

— Но...

— Или нет, можно искусственное оплодотворение...

— Можно, конечно, можно!

— Но все-таки лучше из детдома, сейчас столько сирот, а то чужая сперма... ну ее. — Он вдруг покраснел. И так мне в этот момент понравился...

— Только мы это сделаем не сразу, спешить не будем, — сказала я. — Нам надо пожить вместе, вдруг не получится...

— Да никто и не даст нам ребенка, пока не женаты, а с разводом быстро не будет, я свою бывшую знаю, так что успеем притереться... Фаин, а что ты ко мне чувствуешь?

— К тебе? Это не так просто... Огромную нежность, прежде всего... Уважение... и благодарность... — Он хотел что-то спросить, наверное, за что, но я не позволила. — Мне с тобой спокойно, надежно, ну и еще... мне с тобой хорошо в постели...

— Да? А что же тогда любовь? Разве не букет всех этих чувств?

— Не знаю... Прости, но ты же обещал...

— Так я не о нем... Ради бога, извини, но один вопрос, последний... Ты с ним спала?

— Нет.

Он счастливо рассмеялся, обнял меня.

— Но тогда это чепуха, не страшно... И ты практически сказала, что любишь меня.

Я не знала, что ответить, и поцеловала его.

— Игорь, только давай пока не афишировать наши отношения, по крайней мере в издательстве. Это может помешать.

— Как скажешь. Ты, наверное, права. Это лишнее.

— Договорились.

— Будем приезжать врозь?

— Конечно. Я ведь езжу туда каждый день, а ты изредка. И лучше вообще пореже там появляйся. Занимайся другими делами, а уж я буду держать тебя в курсе дела.

— Да, правильно, какая ты умная и рассудительная!

До Нового года оставалось десять дней. Две первые книги мы выпустили в продажу как раз к двадцатому декабря. И, надо сказать, они сразу привлекли к себе внимание броским современным оформлением.

Вернулась из пансионата Мария Ипполитовна.

— Фаина, дружочек, вы уж не влюбились ли?

— Почему вы так решили? — улыбнулась я.

— Это всегда заметно. В Кавалера роз?

— Нет. Но вы его хорошо знаете, — улыбнулась я.

— Боже, неужто в Степу?

— Нет, что вы! Это Игорь Шувалов, — с мстительным удовольствием ответила я.

— Игорь? Но он тоже женат...

— Только формально, а мне это неважно. После Нового года я переберусь к нему.

— Боже, как грустно! Я так привязалась к вам, деточка!

— А я буду вас навещать!

— Это совсем другое дело... Но вы молодая, красивая, все правильно. Игорь неплохой парень, богатый очень...

— Это последнее, что меня в нем привлекло.

— Да-да, я знаю, вы бескорыстная девочка... А как это у вас вдруг возникло?

— В Париже... Именно вдруг.

— Да, Париж такой город... Романтика... А мать Игоря уже в курсе?

— Не знаю, он ничего не говорил.

— Ну, вы же видели ее на моем юбилее.

— Да, конечно.

— Между прочим, она тогда сказала, что вы очаровательны.

— Посмотрим, что она теперь скажет, — засмеялась я.

— О, Тамара не вмешивается в дела сына. Она терпеть не может его нынешнюю жену и просто не поддерживает с ней отношений.

В прессе появилось несколько статей о новом издательстве, о его планах, о вышедших книгах, и к нам косяком пошли авторы. Разговаривать с ними приходилось мне. Иногда это были вполне милые люди, иногда просто больные, однако у меня уже был опыт такого рода, я знала, как и с кем нужно разговаривать, чтобы избежать истерик и скандалов. Кстати, два автора оказались очень перспективными. И я заключила с ними договоры. И мне пришлось-таки взять секретаря. Это была племянница Иры Литвиненко, двадцатилетняя девушка Агния. Довольно миловидная, с хорошей фигуркой, она мгновенно вписалась в наш маленький коллектив, и ей все казалось захватывающе интересным.

— Фаина Витальевна, какие будут распоряжения? — спрашивала она с утра.

— Пока никаких. Хотя нет, сделай мне кофе.

— Латте, капучино?

— Капучино!

— Здорово, у вас такая суперская кофеварка, обожаю с ней возиться! — девушка была еще и весьма позитивна.

Часов около трех Агния почему-то на цыпочках вошла в кабинет и сообщила каким-то странным шепотом:

— Фаина Витальевна, к вам пришли!

— Кто?

— Одна писательница!

— Агния, фамилию можешь назвать?

— Мылова! Вы про такую слыхали? Она ведет себя так, как будто это Лев Толстой по меньшей мере! А вид у нее какой-то... Как с Ленинградки...

— Пусть заходит!

— Дело ваше, Фаина Витальевна!

В кабинет вошла так называемая писательница. Надо заметить, что у Агнии очень точный глаз, вид у дамочки был мало приличным. Взбитые, травленные перекисью волосы, ярчайший боевой раскрас, каблуки сантиметров пятнадцать и зеленое платье в обтяжку с огромной лиловой розой на плече.

— Добрый день, — я встала ей навстречу.

— Здравствуйте.

— Садитесь, пожалуйста, кофе, чай?

— Перье с лимоном.

— Агния, у нас есть перье?

— Нету, Фаина Витальевна, у нас только «Святой источник» и нарзан.

— Тогда ничего не нужно.

— Итак, Алена...

— Просто Алена, можно без отчества, у меня еще не тот возраст.

— Хорошо, Алена, что вас привело к нам? В наше маленькое скромное издательство? Вы ведь печатаетесь в таком огромном...

— Надоели! Обещали золотые горы, а сами жидятся. Обещали супер-пупер рекламу, а ни фига!

— Алена, но и мы не в состоянии обеспечить вам все это. Мы только начинаем...

— Вот я и подумала, что для начинающего издательства такой брэнд, как я, был бы просто суперски выгодным...

— Безусловно, Алена, но я примерно представляю, о каких гонорарах может идти речь, нам это не под силу, к тому же, если вы уйдете к нам, нас просто сожрут с потрохами и вас заодно. Нам, конечно, очень лестно ваше предложение, но увы... — Для убедительности я развела руками.

— А вы здесь вообще-то кто?

— Я? Главный редактор.

— А хозяин кто?

— Игорь Борисович Шувалов.

— Я могу с ним поговорить? Он, по-видимому, бизнесмен, а вы редакционная крыса-чистоплюйка, — вышла из себя писательница. — И уверена, он вас по головке не погладит и вообще выгонит за то, что упускаете такой брэнд. Как мне с ним связаться?

Я пропустила мимо ушей крысу-чистоплюйку, хотя мне очень хотелось вылить на ее начес остатки кофейной гущи.

— Одну минуту, я вас сейчас свяжу. Алло, Игорь Борисович?

— К чему так официально, любимая?

— Игорь Борисович, к нам пришла писательница Алена Мылова.

— Гони в шею!

— Игорь Борисович, я сейчас передам трубку госпоже Мыловой, поговорите с ней сами, я для госпожи Мыловой слишком мелкая сошка, и мои аргументы на нее не действуют.

— Она тебе нахамила?

— А как же!

— Давай сюда эту выдру! И включи громкую связь.

— Прошу вас! — я протянула ей телефон.

— Игорь Борисович, ваш главный редактор плохо ориентируется в современных условиях. Издательство только начинает, и такой брэнд, как я, мог бы принести огромные прибыли, брэнд, хочу заметить, уже раскрученный...

— Дорогая госпожа Мылова, — начал необыкновенно мягко и даже вкрадчиво Игорь. — Наше издательство и в самом деле только начинает, у нас нет ресурсов на гонорары такой, с позволения сказать, звезде...

— Ну, я бы могла на первых порах слегка умерить свои аппетиты... — до ужаса кокетливым тоном произнесла она, явно не заметив ядовитого «с позволения сказать».

— Ну зачем же такой писательнице и красивой женщине умерять свои аппетиты! Просто ваш брэнд и наше издательство не совместимы, как... гений и злодейство.

— Да почему?

— Как бы вам это помягче объяснить... Ну не будем мы печатать Алену Мылову. Ну, не хотим и все. Такое объяснение вас устроит?

— А, понятно, вы боитесь моих нынешних издателей...

— Вот-вот, ужас как боимся.

— Игорь Борисович, а может, нам встретиться лично? Может, мои аргументы, изложенные с глазу на глаз, подействуют эффективнее?

В этот момент мне многое в ее успехах стало понятно. Однако она не на того напала:

— Госпожа Мылова, — голос у Игоря стал металлическим, — этот разговор продолжать бессмысленно. А поскольку вы нормальных слов не понимаете, то я скажу прямо: мы намерены печатать литературу, а вы мне предлагаете макулатуру. Улавливаете разницу?

— Хам! Сволочь! Я вам еще покажу! Вы на коленях будете прощения просить! — заорала благим матом писательница.

Но Игорь уже швырнул трубку.

На ее вопли вбежала Агния.

— Выпейте водички! — она протянула ей стакан.

— Уйди, паскуда!

— Алена, возьмите себя в руки и не смейте оскорблять ни в чем не повинных сотрудников.

— Вы все тут одна шайка-лейка! Но ничего, я вам еще устрою, вылетите в трубу! У меня связи в налоговой, вам житья теперь не будет!

Она схватила свою сумку и вылетела в коридор. По дороге к выходу она продолжала сыпать угрозами.

В кабинет заглянула Ира.

— Фаин, ты как?

— Да нормально, меня этим не возьмешь.

— Можно один совет?

— Конечно.

— У тебя есть знакомые в ее издательстве?

— Есть, а что?

— Вот прямо сию секунду позвони туда и скажи, что она приходила собой торговать. Пусть знают, что их обожаемый автор ходит на сторону.

— Зачем это?

— Они ей рога-то пообломают.

— Да не захотят связываться с такой...

— Поверь, я знаю, что говорю.

— Пусть лучше Игорь звонит. У него знакомства там на самом высоком уровне, а у меня так... пустяки...

— О, это мысль. Тогда звони ему.

— Сейчас. — Я набрала номер.

— Эта коза ушла?

— Да, но с какими воплями и угрозами. Игорь, вот тут Ира советует позвонить в издательство...

— Уже, — хохотнул Игорь. — Они очень заинтересовались. А как ты, не расстроилась?

— Наоборот, такой адреналин!

— Ну-ну! До вечера?

— Да.

— Я буду часам к девяти, не раньше. Кстати, мне обещали доделать ремонт к тридцатому.

— Отлично.

— Я тебя целую в нос.

— Ладно!

— Фаин, скажи, — спросила Ира, закуривая, — ты часом не закрутила с Шуваловым? А?

— Да нет, что ты...

— Чего врать своим ребятам? Это ж невооруженным глазом видно, это только Танька, которой вообще ни до чего нет дела, кроме работы и своей семейки, может не видеть, а для меня все ясно. Ты уже из Парижа с таким лицом приехала...

— Ир!

— Это, разумеется, не мое дело, но все же интересно...

— А что, Ир, так заметно?

— Да. У тебя глаза, как фары в темноте... Ослепнуть можно. Я подозревала, но сейчас, когда ты с ним говорила... Вообще... И он на тебя так смотрит...

— Ой, ничего от вас не скроешь...

— Поженитесь?

— Вроде...

— А чего, он классный... И богатый опять же... Только не говори, что это для тебя роли не играет. Это так элементарно — богатый лучше, чем бедный. У тебя бедный на примете есть?

— Нет.

— Выбора делать не нужно?

— Нет.

— Вот и живи спокойно. Давно известно, что лучше иметь мужа богатого и здорового, чем бедного и больного. А уж если этот богатый и здоровый еще и любимый, так вообще... Не дергайся, в тебе почему-то очень сильны эти советские представления о том, что иметь деньги стыдно.

— Ерунда, ничего не стыдно, если они не краденые.

— Вот и умница. На свадьбу не забудь позвать.

— До свадьбы еще дожить надо.

— Доживешь, куда ты денешься! Ладно, я пошла. Слушай, а этот Рейли правда жутко талантливый, так здорово пишет! Лучше Дэна Брауна и не менее интересно.

— И уж точно лучше, чем Алена Мылова.

Мы расхохотались.

Как странно, думала я, застряв в пробке по пути домой, все говорят мне, что у меня счастливый и влюбленный вид, что глаза сияют, но я ведь люблю мужа графини, когда думаю о нем, редко, но все же, у меня обрывается сердце, когда вспоминаю его взгляд там, в парижском кафе, его голос, руки... Но он побоялся, струсил... И теперь у меня все по-другому. Эту любовь надо забыть. А разве можно забыть непрожитую любовь? Нужно! Необходимо! Игорь, он такой... Я как-то проснулась от взгляда. Глянула из-под ресниц, а он приподнялся на локте и смотрит на меня, а в глазах такое... Да ради этого можно все забыть... Все? Все, кроме непрожитой любви... Она будет как заноза в сердце, как осколок снаряда... Но я где-то читала, что нередко осколок снаряда может всю жизнь быть у человека внутри, почти не причиняя беспокойства, он зарастает тканями, он практически незаметен, о нем забывают... Может, и с непрожитой любовью так?

Дай Бог! Я хочу быть и стареть рядом с Игорем... Я его по-своему люблю... Мне с ним хорошо... И сегодня я приготовлю ему сказочный ужин. Сделаю сюрприз. Если, конечно, не проторчу весь вечер в этой окаянной пробке! К счастью, она вдруг начала рассасываться. Я поехала не домой, а в супермаркет. Я хотела испечь ему свои пирожки, но с тестом могу не успеть, поэтому тесто купила готовое, ничего, сойдет, оно отличное, не хуже моего.

Весь вечер я провозилась на кухне, стол накрыла в комнате, хотела поставить свечи, а потом решила, что это уже как-то пошло. Романтический ужин со свечами? Нет, просто хороший вкусный ужин для усталого мужчины. И голодного. Я чуть мысленно не добавила «любимого»... А хотелось бы мне накормить ужином мужа графини? Не знаю... Хотя, что я вообще о нем знаю? Что он превосходно стреляет? Но вряд ли он будет из ревности стрелять в меня или в Игоря! Смешно, ей-богу. Пусть его кормит итальянскими блюдами его графиня в твидовом пиджаке.

Но труды мои пропали даром. В половине десятого Игорь позвонил:

— Фаинка, ты не очень обидишься, если я не приеду?

— Что-то случилось?

— Ничего, кроме работы. Но я освобожусь не раньше, чем через два часа. Будет уже поздно... Лучше я утром заскочу к тебе.

— Как хочешь.

— Да я хочу больше всего на свете оказаться рядом с тобой, но дела... Не справляюсь. Я слишком расслабился в какой-то момент, многое упустил и сейчас, перед концом года, должен наверстать. Прости.

— Уже простила. Ты что-нибудь ел?

— Да. Мы тут заказали ужин в офис.

— Тогда доброй ночи.

— Я люблю тебя.

И он сразу отключился, чтобы зря не ждать ответного: «Я тебя тоже».

Дабы труды мои не пропали даром, я позвонила соседке.

— Мария Ипполитовна, вы ужинали?

— А что?

— Да вот, приготовила ужин, а Игорь не смог приехать, может, вы разделите со мной эту скорбную трапезу? Есть жутко хочется, а одной как-то кисло... Я и стол уж накрыла!

— А у меня в гостях Тамара Дмитриевна Шувалова. Ничего, если мы вместе зайдем? Мы, правда, уже поели, но за компанию можно и повторить...

Я испугалась. Но, с другой стороны, рано или поздно я должна была встретиться с его матерью. Может, я что-то еще пойму о нем?

— Мария Ипполитовна, можно один конфиденциальный вопрос?

— Разумеется, дружочек!

— Тамара Дмитриевна в курсе?

— Насколько я поняла, нет.

— Вот и чудесно, мне будет легче.

Дамы появились через двадцать минут. В отличие от Марии Ипполитовны, Тамара Дмитриевна ничем не напоминала английскую леди. Это была типичная дама-шестидесятница. Довольно небрежно причесанная, с прокуренным голосом, правда, хорошо и дорого одетая. Вероятно, в молодости она сочувствовала диссидентам, слушала «Голос Америки», говорила очень безапелляционно на все темы, но у нее было неплохое чувство юмора. Игорь мне мало о ней рассказывал. Такие дамы всегда интересуются политикой, неизменно и нещадно ругают любую власть, и нет для них слаще темы, чем разговоры о том, как все у нас плохо. Правда, Мария Ипполитовна не очень-то жалует подобные беседы, а я про себя таких дам называю «пикейными жилетками». Помню, когда я жила у отца, а он еще не уехал в Италию, у него был день рождения, и собралась компания, где было три или четыре таких дамы. Отец тогда все пытался переключить их на что-то другое, но тщетно. И он шепнул мне: «Бамбина, прошу тебя, никогда не становись такой, как эти злые тетки».

— Фаина, ведь это вы работаете у моего сына?

— Да, Тамара Дмитриевна.

— Ну и как у вас идут дела? Игорь мне никогда ничего не рассказывает.

— Дела идут, и даже неплохо. Игорь Борисович нашел потрясающего писателя в Париже, мы вовремя успели, пока он еще не слишком раскручен, сейчас работаем, надеюсь, это выстрелит.

— Какое ужасное выражение! Выстрелит! Вы что, смотрите эти кошмарные сериалы?

— Да нет, это просто профессиональный жаргон...

— Томочка, ты не права. У Фаины на редкость хорошая русская речь, и когда она работала в журнале...

— Знаю я эти журналы! Черт знает что! И твоя колонка, Маша, это, честно говоря, тоже бред!

— Почему это? — вскинулась Мария Ипполитовна.

— Потому, что какое отношение ты имеешь к леди? Я же знаю твою биографию! Ты далеко не аристократка...

— Тома, что это вдруг ты...

— Потому что это все так мелко, так ничтожно! Ах, старая псевдоледи недоумевает!

— Тамара Дмитриевна, — вмешалась я, — мне кажется, что аристократизм не в происхождении, а в воспитании, по крайней мере в наше время. К тому же это художественный образ, мы имени не называем, а позиция Марии Ипполитовны...

— Дружочек, не надо за меня заступаться, — улыбнулась Мария Ипполитовна. — Я так давно знаю свою подругу, что не обижаюсь на нее.

И давайте лучше сменим тему. Вы говорили об издательстве.

— Да прогорит оно в два счета! Теперь кризис и...

— Томочка, ты же сама говорила, что Игорь — мальчик предприимчивый и сумел не разориться во время дефолта, а наоборот...

— Ну и что? Просто он занимался тем, в чем понимает. А что он понимает в книгах? Он же врач.

— Вы не правы. Игорь Борисович очень хорошо разбирается в этом деле. У него отличный вкус... Вот, например, сегодня...

И я, не жалея красок, описала дамам сегодняшнее явление Мыловой.

— Ну и дурак! — вынесла вердикт Тамара Дмитриевна.

— Почему? — поразились мы с Марией Ипполитовной.

— Потому что, когда занимаешься бизнесом, надо сразу принять формулу: «деньги не пахнут».

— Тома, что с тобой сегодня?

— Тамара Дмитриевна, я, конечно, не знаю, как начинал Игорь Борисович, но сейчас он, вероятно, уже может себе позволить позабыть эту пресловутую формулу. Издательство — его давняя мечта, я бы даже сказала, хрустальная мечта...

— Да какая там хрустальная мечта! К тому же если б он хотел создать нечто изысканное, настоящее, он не взял бы главным редактором красивенькую дамочку из гламурного журнала.

Так, приехали!

— Тамара, что ты себе позволяешь! Ты в гостях у Фаины, а ведешь себя, как...

— А зачем ты привела меня к ней в гости? Я пришла к тебе, а ты меня потащила сюда. Все, я иду домой! Спасибо за угощение. Не знаю, какой вы редактор, но готовите вы хорошо. Прошу прощения. Всего наилучшего.

Она направилась в прихожую. Мария Ипполитовна за ней. Она сделала мне большие глаза и шепнула:

— Я вернусь!

Вот вам и знакомство с будущей свекровью!

Мария Ипполитовна вернулась через десять минут.

— Дружочек, простите, ради бога, я никак не ожидала такого поворота... Обычно она все-таки ведет себя пристойно, а вы молодчина, сдержались... Видимо, это старческое, хотя она на шесть лет моложе меня. Не понимаю!

— А может быть... это своеобразная ревность?

— Думаете, она ревнует сына к вам?

— Ну не ко мне персонально, она же не знает... Но к новому делу, ведь, насколько мне известно, Тамара Дмитриевна когда-то работала в толстом журнале, когда это был главный источник литературы в Советском Союзе, а сейчас сын не привлек ее к делу...

— А привлек вас, которая в свое время привлекла меня, а она остается только матерью-пенсионеркой... Вы умница, Фаина. Я вас обожаю! А готовите вы и вправду великолепно. Игорю сказочно повезло с такой женщиной.

— Мария Ипполитовна, а расскажите мне о нем.

— Вот это номер! А он вам ничего о себе не рассказывал?

— Рассказывал, но почему-то только начиная с института. А о детстве нет. Я как-то спросила почему, а он отмахнулся. Мол, ничего интересного.

— Дружочек, я не уверена, что это нужно делать, если сам Игорь молчит... Но могу заверить вас, что ничего такого уж необычного там не было, просто Тамара была чересчур занята своими делами и не слишком много внимания уделяла детям.

— Детям?

— У Игоря была сестра, младшая, то есть она, слава богу, жива-здорова, но живет в Австралии и с матерью не общается.

— А с Игорем?

— Честно сказать, не знаю. Я Игоря вижу раз в несколько лет. Когда он мальчиком был, они очень дружили со Степой... Вот он и примчался на мой юбилей, не из-за матери и не из-за меня, а из-за Степы...

Вот только этого мне и не хватало!

— Они и сейчас поддерживают отношения, Игорь года два назад гостил у Степы с Эрной... Ой, Фаина, вы что-то так побледнели, дружочек! Я ухожу, вам надо отдохнуть. Немедленно разденьтесь и ложитесь спать.

8-1474и

— Спасибо, да, я, пожалуй, лягу, очень тяжелый день был.

Бедный Игорь... Мало того, что я люблю другого, так этот другой оказался еще его другом... Хотя почему он бедный? Он же не знает, что это муж графини. И никогда не узнает. А я его разлюблю... И буду любить Игоря, который любит меня несмотря ни на что... Заботится обо мне... И у него такая приветливая мама! Просто душка!

Я решила поехать на работу на метро. Перед Новым годом Москва практически вся стоит. В позапрошлом году я простояла в пробке на Пушкинской три с половиной часа. Чудом не опи́салась. Спасибо, больше не хочу. Правда, от метро до издательства еще надо топать минут двадцать быстрым шагом, но это не беда. И как только я вышла из метро, позвонил Игорь.

— Фаинка, ты где? Почему я не мог дозвониться?

— Я была в метро.

— В метро? Почему? Что-то с машиной?

— Да, она, к сожалению, не умеет летать по воздуху.

— А, из-за новогодних пробок, понятно. Слушай, мне позвонила мама...

— И сказала, что ты взял на работу черт знает кого?

— Примерно... А в чем дело?

— Игорь...

— Да я все понимаю, но я собирался ей сказать про нас...

— И что? Струсил?

— Нет, просто решил пока не усугублять, тем более что мамины истерики меня очень мало волнуют. Но если ты настаиваешь, я немедленно ей сообщу.

— Я абсолютно ни на чем не настаиваю, и мне, честно говоря, безразлично... Просто поводов сильно любить твою маму пока не наблюдается. Извини.

— Не обращай внимания, у мамы всегда был скверный характер... Впрочем, она сказала, что ты хорошо готовишь.

— О, прекрасный повод жениться на мне, и мама поймет!

— Фаинка, не злись! И вообще, я жутко соскучился, хотел сегодня заскочить в издательство, но, боюсь, просто не получится.

— Игорь, но тридцатого ты должен хотя бы на полчаса заехать. Мы будем отмечать Новый год в нашем маленьком коллективе, и тебе надо быть.

— А что, до тридцатого ты меня видеть не хочешь?

— Хочу, но дома! И чем скорей, тем лучше.

— Сегодня приеду. И останусь до утра.

— Жду!

— Я тебя люблю! — и как всегда он мгновенно отключился.

Почти сразу после Игоря позвонила Анита.

— Фаинчик, с наступающим!

— И тебя, Анита! Как дела?

— Повидаться бы надо!

— С удовольствием, ты на каникулы куда-нибудь уедешь?

— А ты?

— По-видимому, нет.

— А я собираюсь на Хайнань.

— О, как интересно! А почему голос такой грустный?

— Я ж говорю, надо бы повидаться.

— Но как? Москва не движется. Я сейчас топаю на работу от метро...

— Ты будешь весь день на работе? А то, может, я тебя где-нибудь у метро подхвачу, пообедаем вместе?

— Анита, что-то случилось?

— Многое, но это не по телефону. Пожалуйста, Фаинчик!

— Хорошо, я, когда освобожусь, позвоню тебе, и договоримся. А ты неужели свободна весь день?

— Практически да...

Грустный голос, свободное время, желание пообщаться при условии, что мы уже не работаем вместе... Похоже, ей плохо. Наверное, журнал горит синим пламенем...

— Фаина Витальевна! — встретила меня Агния. — Сегодня Лукашевский и Бородина отменили встречи, говорят, проехать немыслимо! А Кукушенко уже приехал!

— Хорошо, я его сейчас же приму.

Иван Кукушенко был очень талантливым художником. Но характером отличался сквернейшим. Однако мне удалось убедить его в том, что оформление книги Рейли может принести ему европейскую известность. И он клюнул.

— Только имейте в виду, Иван, что сроки железные, любая задержка чревата грандиозными убытками и крахом. Для вас.

— А если задержка будет не по моей вине?

— Ее не будет. Уверяю вас. Мы же не враги себе. Поэтому я...

— Подождите, как вас, Витальевна.

— Вообще-то Фаина, но можно и просто Витальевна.

— Тогда буду звать вас Витальевной. Уж больно имя ваше вам не идет. Так вот, Витальевна, я должен прочитать книгу, прежде чем...

— Вы по-французски читаете?

— Я похож на человека, читающего по-французски?

— Ни капельки! Если честно, вы не похожи на человека, который читает все книги, которые оформляет! Я права?

— Ну, в общем и целом... Но это же суперпроект! Мне иногда достаточно просто поговорить с автором — и я попадаю в масть.

— Вы предлагаете отправить вас в Париж, чтобы поговорить с Рейли через переводчика?

— Я не такой нахал...

— Да ну?

— Представьте себе.

— Иван, я дам вам что-то вроде развернутой аннотации к роману. Мы же не требуем иллюстраций, только внешнее оформление. Пока! Когда книга пойдет, вернее, если она хорошо пойдет, а это во многом зависит и от вас, мы непременно выпустим и иллюстрированное издание и поручим его вам. Вы не спеша прочтете и будете делать, что захотите. А пока так. Книга в работе.

— Мне говорили, что вы суровая баба. Выходит, не врали. Но мне такие нравятся. Без дураков! Ладно, согласен, какой крайний срок?

— Ну, скажем, первое февраля?

— Ну, это уж вы загнули. Новый год, сами понимаете... Потом пока раскачаешься... войдешь в колею...

— Иван, если вы собираетесь уйти в запой...

— Я не запойный! Просто я люблю волю...

— Хорошо. Крайний, но действительно крайний срок — пятнадцатое февраля. Но в таком случае я должна иметь запасной вариант.

— Что это значит? — насторожился он.

— Ну, если вы намерены так долго возиться с этим проектом, я закажу оформление кому-нибудь еще, ну а потом уж выберем...

— Ну вот... Приехали. На таких условиях я не работаю.

— Если вы беретесь сдать работу к первому февраля, я ни к кому больше обращаться не буду.

— Точно не будете?

— Конечно, зачем тратить лишние деньги? К тому же если мы обратились к вам, то, значит, хотим именно вас. Я просто вас предупредила.

— Черт с тобой, Витальевна! Сделаю к первому февраля. Хотя у меня и другой работы завал.

— Отлично! Просто не надо сильно расслабляться. До православного Рождества — и хватит.

— А там Старый новый год.

— Это уже не мои проблемы. Но если вы вовремя не сдадите...

— А как насчет аванса?

— Нет.

— Так не принято.

— Иван, мы с вами еще не работали, репутация у вас, прямо скажем, не ахти... Но вы талантливы, даже очень, учитывая все это, я клятвенно заверяю вас в том, что оплачу вашу работу в тот же день, как вы ее принесете.

— Вот прямо первого февраля?

— Да. Поверьте, это неплохо. После новогодней расслабухи деньги будут нужны.

— Ох, да... Молодец баба! Понимаешь нашего брата! Годится! Давай договор, подпишу!

— Подпиши. Только сперва прочитай, а то потом...

— Да уж прочту, не боись!

Он довольно долго читал текст договора, потом подмахнул его.

— Витальевна, а ты красивая, зараза! И деловая, жуть!

С этими словами он вышел из кабинета.

Я решала какие-то сиюминутные вопросы, подписывала документы, но около трех отпустила всех по домам. И позвонила Аните.

— Я могу через минут сорок быть у метро. Скажи, к какой станции тебе удобно будет подъехать?

— Ну, скажем, к Сухаревской.

— Хорошо, это и мне удобно. Тогда ровно через час на Сухаревской.

— Договорились. Если что, на связи!

— Фаинчик! Выглядишь потрясающе! Ты влюбилась? Надеюсь, на этот раз взаимно? Расскажешь? — засыпала меня вопросами Анита. Она, как всегда, выглядела безупречно, хотя и несколько устало.

Мы обнялись.

— А как у тебя? Как твой Дмитрий Сергеевич?

— Расскажу. Но это уже перевернутая страница. А у тебя, похоже, роман только начинается?

— Уже начался, и я, кажется, выйду замуж.

— Да ты что! Поздравляю! За кого?

— Анита, ты первая! Что у тебя стряслось?

— Я продала журнал!

— Господи! Что такое?

— Кризис! Рекламы почти нет... В редакции разброд и шатание... Да и сил больше нет. Не хочу!

— А кому продала? Он будет выходить?

— Продала Жукову. Но мне уже неважно, что будет с журналом. Когда я вспоминаю, как все начиналось... Энтузиазм, дружба, восторг, маленький сплоченный коллектив, желание быть на высоте, даже некоторый, я бы сказала, упоительный снобизм, который мы могли себе позволить... И во что это вылилось? В порезанное платье от Шанель? В интервью с Мыловой и ей подобными?

— Мне страшновато тебя слушать... Ты описываешь то, что сейчас происходит в издательстве. Впрочем, это дело известное... Театральные студии... То же самое. Начинают с энтузиазма, а заканчивается все традиционным гадюшником... Грустно.

— Значит, сейчас у вас эйфория?

— Ну, в общем, да. Нашли несколько перспективных авторов, готовим убойный международный проект, шуганули Мылову...

— Это я уже слышала. Она на всех тусовках поносит вас последними словами.

— Анита, мы опять сбились на мои дела. Что у тебя? Кроме журнала? Кстати, ты хоть хорошо его продала?

— Неплохо, брэнд-то раскрученный...

— А что на телевидении?

— Пока все хорошо, даже рейтинги растут. И я так это полюбила... Даже не понимаю, откуда у меня брались силы на журнал, телевидение сжирает все время и силы... Думала, сойду с ума без журнала, а на самом деле вздохнула свободнее... Странно, да?

Я молча кивнула.

— Еще поругалась с сыном... Он начал пить... Я решила взяться за него, но он стал в позу...

И девка его не желает никакой помощи от меня, а он у нее под пятой... Боюсь, это плохо кончится... У меня что-то прервалось с ним... Мы не понимаем друг друга... Он, видимо, не прощает мне моей карьеры, иными словами, недостаточного внимания к нему... И я пока не знаю, как с этим быть... Грустно. И страшновато за него... Да не страшновато, а просто страшно!

Она умолкла.

— А Дмитрий Сергеевич?

— О, это забавно!

— Вы расстались?

— Да. Но как!

— А что?

— Знаешь, это были прелестные отношения... Легкие, нежные, мы оба не молоды, зато понимали друг друга с полуслова, поднимали друг другу настроение, мне было важно, что он у меня есть, ему тоже... Но в последнее время я вдруг стала замечать, что он страшно раздражается, когда я с ним не соглашаюсь, когда у меня есть свое мнение по тому или иному вопросу. Он, видно, со своей Жучкой привык...

— С какой Жучкой?

— С женой. Она такая дворняжка... Да и фамилия у нее Жучкова.

Я фыркнула.

— Он, видно, привык, что ему не возражают, к тому же он большой начальник... А мне роль подчиненной как-то не идет, да и не умею я... Одно время терпела, очень уж влюблена была... А в последний месяц, когда мне так было тяжело, он грузил меня своими сложностями, а мои это так, пустячок... Я сдерживалась, потому что он все-таки мне был небезразличен, боялась потерять эти отношения, они при всем том были вполне приятными и необременительными...

— Но это не любовь?

— Фаинчик, что такое любовь? Мне казалось, это все-таки что-то вроде любви... И он мне не раз объяснялся... Но я точно знаю, что Жучка про меня узнала... И, видимо, начала работу... Ну, короче говоря, мы не виделись две недели, а это много для нас... Он уезжал в Америку, я была в Англии... Словом, мы, наконец, выкроили два часа на обед. Сидим, он привез мне подарок, я ему, он сказал, что с утра у него было отвратительное настроение, а вот увидел меня, и как будто солнышко выглянуло, словом, вся такая любовная чепуха. А я, надо заметить, приехала на такси, машина сломалась. Это так, к слову. Ну сидим, едим, пьем, он смотрит на меня, казалось бы, с любовью. Но я вдруг посмела в чем-то с ним не согласиться, он вспылил, я в долгу не осталась, но потом все как будто сгладилось... Короче, выходим на улицу. Он знает, что я без машины. А там жуть, проливной дождь со снегом. Его ждет машина с водителем. И он прекрасно знает, что я живу в десяти минутах езды, а я точно знаю, что он собирается ехать домой.

— Анита, ты меня пугаешь!

— Да нет, это не страшно, это смешно... и грустно!

— Ну говори уже, не томи душу!

— Так вот, он вдруг спрашивает: «Дорогая, у тебя есть зонтик?» Нет, отвечаю, еще не врубаясь. А он и говорит: «Кажется, у меня в машине есть, я поищу». Вот тут до меня дошло. Я задохнулась, выскочила на проезжую часть, и пока он искал зонтик, я уехала. Меня трясло от обиды и возмущения. И дома я со злости расколошматила очень красивую вазу богемского стекла, которую он мне подарил. И когда она разлетелась вдребезги, мне вдруг все стало ясно. И смешно. Он просто был не мужчиной. Вернее, под заливистый лай своей Жучки утратил все мужские качества. А зачем мне такой? Мужчина ведь не только член.

— Действительно! Надо же...

— Ну вот... А еще я осознала... Понимаешь, когда появляется хоть немного свободного времени, многое начинаешь осознавать... А тут, минус журнал, минус Дмитрий Сергеевич... Появилось какое-то время, и я осознала, что у меня, собственно, никого нет, кроме тебя... Ты, наверное, единственный человек, с которым меня что-то связывает, и ты единственная, кто не станет злорадствовать... Вот, собственно, и все... Мне одиноко, Фаинчик, грустно... Я разочаровалась в людях... Но мне только сорок пять, я хочу жить! И буду, всем назло!

— Анита, а побороться с Жучкой, а?

— Никогда! Она слишком мелка... Да и он, как выяснилось, этого не стоит.

— А он хоть понял, что произошло?

— Думаю, да.

— И больше не звонил?

— Нет. Он же не идиот...

— Анита, а с кем ты едешь на Хайнань?

— Одна. Я хочу отдохнуть, хочу теплого моря, хочу набраться сил для нового витка... И я наберусь, я из непотопляемых, Фаинчик.

— И слава богу! Я убеждена, что ты найдешь своего героя.

— Найду, не сомневайся! Кто ищет, тот всегда найдет! Ну, а ты? Кто тот счастливец?

— Игорь Шувалов.

— Да ты что? Здорово, он отличный мужик. Ты любишь его?

— Да...

— Ты в этом не уверена? Да? Или есть кто-то еще?

И я вдруг поняла: если сейчас не поделюсь с Анитой, меня просто разорвет!

— Колись, подруга! Знаешь, а мы ведь теперь подруги!

— Да, правда! Анита, помнишь, когда я вернулась из Рима, какой-то мужик перенес меня через лужу?

— Помню, кстати, когда мне предложили зонтик, я как раз вспомнила, что есть мужики, которые переносят даму через лужу, а есть, которые... Тьфу! Так что с лужей? Вернее, с героем лужи?

Я рассказала Аните все. Она выслушала очень внимательно. Потом спросила:

— И что ты думаешь делать?

— Если б знать...

— Все предельно ясно, выходи за Шувалова и дай тебе бог! А тот, как ты выражаешься, муж графини, или лучше — герой лужи, это чепуха. У вас же ничего не было... Один разговор по пьяному делу... Это мура. Считай, что он просто попутчик в купе. Им тоже иногда изливают душу... И бывает, даже больше... Я когда-то, лет пятнадцать назад, ехала в купе с одним довольно молодым генералом...

— И что?

— И то! Мы разговорились, начали, как тогда водилось, с политики, потом перешли на личные дела, а кончилось все роскошным дорожным сексом. Утром приехали в Питер и расстались. Навсегда.

— А почему навсегда?

— Потому что в обычной жизни мы были несовместимы. И не нужны друг другу... По крайней мере мне он был не нужен.

— А может, ты была ему нужна?

— Была бы нужна, нашел бы меня, я фигура публичная, меня не так уж сложно найти.

— И ты не мучилась?

— Да боже упаси! Вот если бы не переспала, может, и думала бы, что упустила что-то...

— Но тебе же понравилось?

— Ну и что? Это же был просто секс. А к жизни эта история не могла иметь никакого отношения, и я это отлично понимала, как, впрочем, и он.

— А к чему ты мне это рассказала?

— А к тому, что этот герой лужи тоже вне твоей жизни. Как и твой итальянский жених... Смотри-ка, тоже Италия... Это неспроста. Значит, тебе надо свою судьбу искать не в Италии. Да чего искать? Ты же сама говоришь, тебе с Игорем хорошо?

— Мне с ним очень хорошо...

— Пойми, дуреха, у вас с ним общее дело, вам всегда есть о чем говорить, вы живете в одной стране, в одном городе, а тот... Биолог, о чем ты будешь говорить с биологом? О хромосомах? О ДНК? Много ты в этом понимаешь? К тому же он женат, и женат на итальянке. Даже если он с ней и разведется от безумной любви, то еще три года не сможет жениться. И потом профессор в итальянском универе — это все-таки фигура, а у нас? Что он тут заработает? Останется нищим и будет во всем винить тебя!

— Анита!

— Что, Анита? А почему ты решила, что это любовь?

— Мне так кажется...

— Когда кажется, креститься надо! И вообще, знаешь что? Засунь ты эту любовь себе в задницу и выходи за Шувалова.

— А я и выхожу... Просто мне некому было рассказать про Степана...

— Рассказала? Легче тебе? Вот и чудно. Когда свадьба?

— Он еще не развелся.

— Он разведется, в этом я уверена. А этот графский муж... Он хоть красивый?

— Рядом не сидел.

— А что?

— Не знаю...

— Тянет к нему?

— Не то слово.

— Переспи с ним, а потом гони в шею. И вся любовь.

— А если я потом не смогу его прогнать?

— Сам смылит.

— А если нет?

— Фаинчик, не будь дурой! Оно ему надо? Невеста близкого друга, соседка матери... Хотя я дала тебе дурацкий совет, этот герой лужи просто струсит в очередной раз. Лучше научись его презирать.

— Я уже... Учусь.

— Умница!

— Кстати, твое название «герой лужи» куда лучше, чем «муж графини».

— Без ложной скромности скажу: да, лучше! Презрительнее. А вот Игорь — это то, что тебе нужно.

— Понимаю. И очень нежно к нему отношусь.

— По крайней мере он точно не стал бы искать зонтик!

Мы расхохотались.

Анита отвезла меня домой. У лифта я столкнулась с Марией Ипполитовной, которая спустилась за почтой.

— Дружочек, я хотела вас спросить еще вчера, но при Тамаре не стала... Где вы встречаете Новый год?

— Новый год я всегда встречаю у тетки, это уже многолетняя традиция.

— Жаль... Хотя все вполне естественно. Игорь будет с вами?

— Да.

— Дружочек, вы простите меня за вчерашнее... Тамара бывает непереносима. Но я думаю, вы правы, она просто ревнует сына к вам.

— Не беда. Привыкнет.

— Но нервы может помотать. Будьте готовы.

— О! Я уже успела это понять.

Едва я вошла в квартиру, как зазвонил телефон.

— Фаина, это Гунар!

— О господи! Гунар, я же просила вас прекратить эту канитель с цветами. Я выхожу замуж, у меня из-за вас неприятности с будущим мужем. Да я уже розы из-за вас видеть не могу! — накинулась я на него.

— Фаина, это правда?

— Что?

— Насчет замуж?

— Чистая правда!

— Фаина, я в отчаянии...

— Бросьте, Гунар, это просто чушь. Между нами ничего не было, нет и никогда не будет.

— Никогда не говори никогда! Да, кстати, вы можете объяснить мне одну вещь?

— Какую?

— Моя жена все смотрит какую-то байду, которая называется «Всегда говори всегда».

— И что? — опешила я.

— Вы можете объяснить мне, что это значит: всегда говори всегда?

— Понятия не имею. Сама удивлялась. Но, Гунар, вы хотите сбить меня с толку, а это...

— Нет, я просто спросил, как говорится, а propos, Фаина, я влюбился в вас еще там, на площади Испании...

— Нет, Гунар, вы, даже еще не видя меня, выглядели абсолютно счастливым человеком. Я потому и обратила на вас внимание. И даже слегка позавидовала вам, так как сама чувствовала себя вконец несчастной. Но теперь все изменилось.

— Я понял. Фаина, а мы можем остаться друзьями?

— Что значит остаться? Разве мы были друзьями?

— Какая вы... Ладно, тогда я скажу так: если вам вдруг понадобится помощь, любая, даже бытовая, вы всегда можете на меня рассчитывать. Вот просто позвоните и скажите: Гунар, у меня течет кран. И я тотчас же это исправлю.

— Вы в прошлом водопроводчик?

— Нет. Но у меня золотые руки.

— И, судя по всему, душа...

— Вы многое теряете, отвергая меня.

— Возможно, но вы для меня слишком любвеобильны, Гунар. Обещаете не посылать больше цветов?

— Только при одном условии.

— Каком?

— Вы обещаете мне помнить о моих словах.

— Это насчет крана? Обещаю!

— Ну, тогда, наверное, все. Но я ужасно огорчен.

— Ничего, думаю, вы с легкостью утешитесь.

— Я постараюсь, глупая вы женщина.

И он отключился. У меня как гора с плеч свалилась. А то однажды утром мы с Игорем еще даже не встали, когда явился курьер с очередной порцией роз. Игорь был вне себя. И выкинул розы в мусоропровод.

Только я подумала об Игоре, как он позвонил в домофон.

— Господи, как я соскучился! Сил моих больше нет жить врозь. Ты что, выпивала?

— Представь себе!

— С кем?

— С Анитой. Мы вместе обедали. Я сегодня всех отпустила в три часа.

— Молодец! Фаинка, я голодный... У тебя есть что-нибудь? Или пойдем в ресторан?

— У меня есть вчерашний ужин. Специально для тебя готовила.

— О! Пусть вчерашний, я не гордый. Да, что там с мамой вышло?

— Ничего особенного. Обычная материнская ревность. Не стоит и разговора.

— Правильно, если особо не реагировать, она уймется.

В дверь позвонили.

— А это еще кто? Опять розы? — вскинулся Игорь. — Я сам открою!

Он пошел в прихожую, а я поставила пирожки в микроволновку. И вдруг услышала его голос:

— Ты? Что ты тут делаешь?

У меня оборвалось сердце. Неужто это явился Степан? Но тут же я услышала женский голос:

— Да, люди не врут. Значит, теперь новая шлюха?

— Заткнись и сию минуту убирайся!

Я выскочила в прихожую.

— Что тут происходит?

В дверях стояла красивая женщина лет сорока в собольей шубе, с неприятным выражением лица.

— Вы кто?

— Я, некоторым образом, жена этого человека.

— И что вам здесь нужно, жена этого человека?

— Да вот, хотела убедиться, что люди не врут.

— Убедились?

— Ну, в общем да.

Игорь обессиленно опустился в кресло у телефона.

— Дальше что?

— Дальше я скажу вам, что не дам развода.

— Ваше право, — пожала я плечами. — А еще что?

— А еще... А еще...

— Ну, кажется, вам нечего больше мне сказать? Тогда всего наилучшего!

— Вы еще пожалеете!

— О чем я пожалею? Ах, вы, верно, хотите устроить скандал? Не выйдет.

— Это у вас ничего не выйдет, я ему развода не дам, а он вами наиграется и найдет себе другую.

— Или я им наиграюсь и найду себе другого. Все может быть. Но к вам-то он уж точно не вернется. Впрочем, если вы в корне измените свое поведение, то, нагулявшись, может, и вернется, только при условии, что вы не будете его преследовать, шляться по квартирам его дам и так далее. Мой вам совет: идите с богом.

Она явно ждала другой реакции, а Игорь, я заметила, сидел, открыв рот от изумления. Он тоже ожидал чего-то другого.

— Все равно не дам развода! — слабым голосом выкрикнула она.

— Да не надо! Не давайте! Он мне и так сгодится. Всего хорошего!

И я стала теснить ее к двери. Она отступила. Вышла на площадку. Я захлопнула за ней дверь.

— Ну ты даешь! — выдохнул Игорь. — Это было красиво, я как в театре побывал... Ей-богу, здорово. И никаких воплей, тихо, достойно и... убийственно! Только я что-то не понял насчет того, что ты найдешь другого...

— А что ты найдешь другую, это тебе понятно?

— Мне понятно, что я ее и искать никогда не стану.

Не вставая с кресла, он притянул меня к себе, посадил на колени, уткнулся носом мне в грудь и замер. Я погладила его по голове.

— Не бойся, я тебя ей не отдам... — прошептала я.

Он вдруг вскинул голову, в глазах плясали чертики.

— Только не надо меня усыновлять, ладно?

— И не мечтай! — Я поцеловала его в губы.

— Вот так-то лучше, — прошептал он, переведя дух.

Больше мы об этом не говорили, но я была рада: мы отлично понимаем друг друга, и достаточно всего одной фразы, чтобы все встало на свои места.

Утром он спросил:

— Ты поедешь сегодня в издательство?

— Придется. А завтра у нас сабантуйчик по случаю Нового года. И ты должен появиться, хоть ненадолго.

— В котором часу?

— В два. Потом я отпущу всех до десятого января.

— О черт! Слушай, надо, наверное, купить всем какие-то подарки... Я не подумал.

— Я уже купила. Но если ты привезешь всем дамам цветы, будет здорово.

— Без проблем. А какие лучше? Розы?

— Нет, меня от роз уже тошнит, но дело даже не в этом. Купи лучше тюльпаны. Они сейчас невысокие, и их любая женщина может положить в сумку. А с розами в предновогодние дни в метро толкаться...

— Господи, мне бы и в голову такое не пришло! Какая же ты умная!

— Я всего лишь предусмотрительная.

— Нет, ты самая умная, самая красивая, самая желанная, а главное, самая любимая. Все, я пошел. У меня сегодня кошмарный день. Боюсь, даже ночевать придется в офисе.

И он умчался.

Прошло минут пять, и в дверь позвонили. Наверное, Игорь что-то забыл. Но на пороге стоял... Гунар с букетом ландышей!

— Гунар, вы с ума сошли!

— Не буду спорить. Сошел. Пустите меня на пять минут, я просто не могу не сказать вам... И вот, возьмите, розы вам, наверное, надоели...

— Ландыши зимой — это круто! Спасибо. Ладно, хотите кофе? Но у меня всего полчаса, мне еще на работу добираться.

Он снял роскошную куртку и хотел было снять ботинки.

— Не вздумайте, проходите на кухню! Я сейчас.

Зимние ландыши пахли не хуже весенних. Я поставила их в вазу и включила чайник.

— Слушаю вас, Гунар.

— Фаина, вы и вправду выходите замуж?

— Да.

— По любви?

— Да.

— А если бы я...

— Гунар!

— Вы не дали мне сказать...

— Хорошо, говорите.

— Если бы я был настойчивее, не пропал так надолго... У меня был бы шанс?

— Гунар, я с самого начала сказала, что у вас нет шансов, я не люблю быть на вторых ролях, а в вашем случае даже на третьих или четвертых. Я была честна с вами.

— Фаина, поймите, я же буду мучиться... Женщина, в которую я с первого взгляда втюрился, о которой мечтал, вдруг посылает меня... Это будет как заноза...

— Но чем я могу вам помочь?

— Ничем, наверное, — грустно сказал он. — Понимаете, кризис... Чтобы удержаться на плаву я вынужден был крутиться как белка в колесе, да еще ревнивая жена, любовница, тоже ревнивая, и в этом мраке был только один луч света... Вы... Я думал, засыпая вас розами, что таким макаром не дам вам забыть о себе... И в один прекрасный день приду, упаду на колени и все сразу... Я дурак, да?

— Вы романтик, по-видимому, и очень наивный человек или чересчур самоуверенный... Не знаю. Но не огорчайтесь, Гунар. Это все так, пустяки... Мимолетности... — вспомнила я вдруг Анитино определение. — Да, в жизни много таких любовных мимолетностей... Они украшают жизнь, если не делать из них трагедий.

Он внимательно на меня посмотрел.

— А у вас были мимолетности?

— А как же!

— И вы в состоянии отличить настоящее чувство от мимолетности?

— Не всегда, наверное.

— Значит... Да, я понял, вы слишком умная для меня. И навсегда останетесь прекрасной мимолетностью... Это, черт побери, красиво. Ну, я пошел... Спасибо. Буду утешаться тем, что в моей жизни была прекрасная мимолетность... — И вдруг удивительно красивым голосом пропел: «Как мимолетное виденье, как гений чистой красоты...» Прощайте!

Мне не хотелось прощаться с ним на столь высокой ноте, и черт дернул меня за язык:

— А что насчет крана?

Он обернулся, в глазах сверкнул огонь:

— О! Это остается в силе!

Тридцатого Игорь примчался в издательство к двум часам, преподнес всем женщинам по букету цветов и огромной коробке роскошной косметики «Герлен». Все ахнули.

— Игорь Борисович! — воскликнула Таня. — Разве можно в кризис делать такие подарки?

— Нужно! — смеялся Игорь, довольный произведенным эффектом. — Девушки, я счастлив, потому что вы воплощаете в жизнь мою хрустальную мечту. И мне на вас ничего не жалко! Будьте всегда такими же красивыми и умными! С Новым годом!

— Игорь Борисович, а можно нескромный вопрос?

— Да, Ирочка, сегодня все можно!

— Вы с Фаиной поженитесь?

Все ахнули, я покраснела от досады.

— Непременно! — невозмутимо засунул в рот тарталетку Игорь. — Как только разведусь, так и поженимся, и все вы уже приглашены на свадьбу!

Все бросились меня поздравлять, а у меня вдруг защемило сердце, я испугалась.

— Ладно, рано еще, потом, — отбивалась я.

— А вы друг дружке подходите, — заявила вдруг Агния. — И по росту, и по расцветке, и вообще...

В какой-то момент Игорь шепнул:

— Не сердись, все же хорошо! А будет еще лучше! Вчера закончили ремонт! Сейчас поедем ко мне, посмотришь. И тебя там ждет еще сюрприз.

— Какой? — почему-то опять испугалась я.

— Хороший! — засмеялся он. — Не дрейфь!

Ремонт сделали великолепно.

— Ну, здесь можно спать с красивой, живой и любимой женщиной?

— Нужно! — обрадовалась я.

— А теперь сюрприз. — Он подошел к огромному раздвижному шкафу, отодвинул дверцу. Слева висели его костюмы, а справа несколько платьев.

— Это что?

— Сюрприз! Погляди...

— Чье это?

— Твое.

— Мое? — Я сняла с вешалки светло-серое платье с лиловым замшевым поясом. — Как красиво. Господи, а это что? — Мне бросилось в глаза пестрое платье дивной красоты. — Оскар де ла Рента? Какая прелесть!

— Примерь немедленно!

Я перемеряла все. И все сидело на мне идеально.

— Игорь, но как?

— Нравится?

— Не то слово!

— Тебе идет, ты такая красавица... А вот обувь я покупать не решился... Сама выберешь.

Я подошла к нему, обняла.

— Игорь... я... Ты самый лучший... Мне хорошо... Я, наверное, счастлива, только не из-за тряпок, ты не подумай, нет, знаешь, когда ты сегодня привез девчонкам эту косметику... Мне было так приятно... Я не знаю... наверное... я...

У него зазвонил мобильник. А у меня упало сердце. Я хотела сказать, что, кажется, люблю его... А мне помешали.

— Алло! Да, слушаю! Что? — он вдруг побледнел. — Как это случилось? Господи, ну конечно, я сегодня же вылечу! Держись, родная. Я приеду, не сомневайся.

— Что случилось, Игорь?

— Моя племянница... погибла... Кошмар какой-то...

— Какая племянница?

— Дочка моей сестры... в Австралии... Всего восемнадцать лет... Разбилась в горах... Я должен лететь...

— Господи, конечно...

— Понимаешь, Вика там одна... девочка была весь свет в окошке... Ужас! Родная моя, прости, но я должен...

— За что прощать? Конечно, должен. Займись билетами, а я соберу вещи. Не теряй время, может, успеешь сегодня вылететь.

— Спасибо тебе, ты...

— Игорь, не теряй время!

Он схватил телефон и вскоре выяснил, что есть возможность в одиннадцать вылететь через Мадрид.

— Господи, это такая даль! Край света!

— Игорь, а твоей маме не надо сообщить?

— Маме? Потом, пусть встретит Новый год... Она в ссоре с Викой, девочку даже не видела никогда, та родилась в Австралии, да и вообще... Потом, когда вернусь...

— Прости, Игорь, но по-моему так нельзя... Может быть, перед лицом такого горя все ссоры отойдут на второй план, а участие матери может хоть как-то помочь...

— Ты думаешь?

— Я не знаю...

— Нет, я должен сперва спросить у Вики... А вдруг это мамино участие только усугубит все? Нет! И ты молчи.

— Господи, а я-то каким боком...

— Тете Маше не проговорись.

— А, поняла. Хорошо.

— Я так мечтал встретить Новый год с тобой, с твоей родней...

— Игорь, тебе еще это надоест. У нас все только начинается... И вот что, давай-ка прямо сейчас поедем в аэропорт. Сегодня такие пробки...

— Я тебя не возьму.

— Ну вот еще. Я поеду с тобой. Более того, я тебя сама отвезу.

— Нет. А как ты будешь добираться обратно?

— Так же. На машине.

— Зачем тебе это, поеду на такси.

— Ты дурак, Шувалов.

— Неправо о вещах те думают, Шувалов, которые Стекло чтут ниже Минералов.

— При чем тут Ломоносов? — удивилась я.

— А это один папин друг, когда хотел сказать ему, что он дурак, всегда произносил эту цитату. А как приятно, когда твоя женщина понимает и знает, кого ты цитируешь... Это в наше время такая редкость, особенно среди красивых женщин. Ты у меня чудо, Фаинка. Ладно, я согласен, поедем, хоть еще какое-то время побудем вместе. Только у меня будет просьба...

— Слушаю.

— Надень на Новый год это платье от де ла Рента.

— К Соне? Смешно.

— Нет, я хочу этого, ну пожалуйста...

— Хорошо. Игорь, а ты потом свозишь меня в Австралию?

— Господи, конечно. Куда захочешь. О, ты уже собрала чемодан? Дай-ка я проверю, все ли положила... Обалдеть! Ни убавить, ни прибавить. Ты не жена, а сокровище.

— А ты думал!

До Домодедова мы добирались больше трех часов и едва не опоздали на регистрацию. На прощание Игорь обнял меня.

— Девочка моя любимая, я так счастлив, что нашел тебя. И пусть там где-то есть какой-то теоретический возлюбленный, это все чепуха. Я не жадный, мне хватает той любви, которую ты мне даешь. И спасибо тебе за это.

Я чуть не разревелась, но сумела взять себя в руки. Какое правильное слово он нашел — теоретический! Именно, именно теоретический возлюбленный. Да я почти и думать забыла о нем. Ведь о таком, как Игорь, можно только мечтать!

Из аэропорта я тоже добиралась больше трех часов. Москва в предновогодние дни — сущий кошмар. Я поехала в квартиру Игоря, до нее было ближе, а сил уже вовсе не осталось. Я рухнула на диван в гостиной и сразу уснула, даже не раздевшись.

Утром пришла эсэмэска от Игоря, что через полчаса он вылетает в Сидней. Я взяла новое платье и поехала домой. Хотела зайти поздравить Марию Ипполитовну, но ее не оказалось дома. Я позвонила Соне:

— Сонечка, тебе нужна помощь?

— Да что ты, справлюсь сама.

— Знаешь, Игоря не будет...

— Как, почему? Вы поссорились?

— Нет, что ты... — И я все ей рассказала.

— Как жалко! Он так мне нравится! И Юлик от него в восторге.

— А елка есть?

— Федяка пошел за елкой. Я давно ему говорила, а ему все некогда, все всегда в последнюю минуту. Фаинка, а у вас в издательстве нет для него хорошей девушки?

— Есть. Моя секретарша Агния. Отличная девчонка.

— Сколько ей лет? — деловито осведомилась Соня.

— Двадцать.

— Так он уж стар для нее.

— Ну как хочешь.

— Хорошенькая?

— Вполне, но главное хорошая и умненькая. И недавно рассталась со своим парнем.

— Познакомь, а? Еще одну такую историю я не выдержу.

— Попробую. Но ничего не обещаю. Может, он и вправду для нее староват. Хотя, по-моему, в самый раз.

— Ты отцу не звонила?

— Звонила на их Рождество, но разговор был какой-то невразумительный.

— Слушай, не глупи, отец тебя обожает.

— Я как-то в последнее время этого не чувствую.

— Ерунда! Ну закрутился мужик... мало ли... не разлюбил же он родную дочь из-за того, что она не надела себе на шею ненужный хомут. Чушь собачья!

— Но Карлотта...

— При чем здесь Карлотта? Это твой отец.

— Но он тоже мог бы позвонить...

— Фаина, перестань! Сию же минуту позвони! И поздравь отца и Карлотту, хватит уж всем вам дурью мучиться. И, кстати, скажи, что выходишь замуж. Ты ведь выходишь замуж?

— Выхожу.

— Вот и сообщи папочке радостную весть.

— Хорошо, попробую.

Я решила позвонить отцу на мобильный. Но телефон был заблокирован. Тогда я позвонила на домашний.

— Карлотта, с наступающим тебя.

— И тебя, Фаина. Ты знаешь, Серджио женится! — с каким-то мстительным торжеством сообщила она.

— О, мои поздравления! Рада за него. И за тебя.

— Твоего отца нет дома. Но я ему передам, что ты звонила. Ну, а как твои дела?

— Я тоже выхожу замуж.

— О! Надеюсь, на сей раз по любви?

— Да!

— И когда же свадьба?

— Летом.

— Чудесно, я рада за тебя. И кто же он?

— Ну, как бы это сказать. Он бизнесмен.

— Вот и чудесно. По крайней мере вы оба, и ты и Серджио, кажется, нашли свое счастье, так ведь говорят по-русски?

— Говорят, Карлотта, говорят. Надеюсь, наш конфликт уже разрешился?

— Какой конфликт? Разве был конфликт?

— А разве не было?

Она рассмеялась.

— Пожалуй, ты права. Прости. Это в прошлом. Надеюсь, ты приедешь к нам со своим мужем. Или еще с женихом?

— Непременно! Я здорово соскучилась и по папе, и по тебе, и по Риму.

— Вот и чудесно! Ждем тебя, приезжай. И с Новым годом!

У меня словно камень с души свалился. Ведь я по-своему все эти годы любила Карлотту. Слава богу, у нее хватило ума и чувства юмора, чтобы признать — конфликт был, но сплыл! Перед Новым годом приятно избавляться от конфликтов. И полезно для здоровья.

Я сделала еще много звонков. Потом решила выпить кофе и взяться за уборку, в последние дни мне было не до того. Но тут зазвонил телефон.

— Фаина, дружочек, наконец-то я до вас дозвонилась.

— Мария Ипполитовна, я к вам сегодня заходила, но никого не было.

— А я на даче у друзей. Вот хочу поздравить вас и пожелать огромного счастья. Игорь хороший мальчик. Надеюсь, вы будете с ним счастливы, несмотря на Тамару. Фаина, у вас ведь есть мои ключи?

— Да, разумеется. Я полью цветы. Вы когда собираетесь вернуться?

— Третьего. Но я не о цветах, я их полила и до моего возвращения больше поливать не нужно. Просто в прихожей на столике стоит коробочка, это вам. Подарок.

— Спасибо большущее, у меня тоже есть для вас подарок.

— Спасибо, дружочек. Поставьте его тоже на столик. Я вернусь и сразу увижу.

— Хорошо. Так и сделаю.

— А Игорь с вами сейчас?

— Нет.

— О, я знаю, он безумно занятой человек. Ну все, деточка. Будьте здоровы и счастливы в Новом году.

— И вы, Мария Ипполитовна.

Мне стало страшно. А вдруг с Игорем что-то случится? Стоит включить телевизор, обязательно услышишь об очередной авиакатастрофе. Уж слишком все хорошо у нас складывается. Не может быть, чтобы моя жизнь вдруг обрела смысл и равновесие. Что-то этому помешает...

Эта гнусная мысль крепко засела в мозгу, и мне никак не удавалось от нее избавиться.

Но в десять вечера пришла опять эсэмэска от Игоря. «Любимая, ты уже надела красивое платье? Выбрось из головы все дурацкие мысли. Я люблю тебя и счастлив несмотря ни на что. Жди меня, и я вернусь. Только очень жди».

И я решилась. «Жду, очень жду и люблю».

«Да?»

«Да!!!»

«Ура!»

Нет, кажется, я зря тревожусь, все будет отлично. Почему это у меня не может быть ничего хорошего? Может и уже есть! И ничего с ним не случится, чепуха! Надо только верить в это...

Я приняла душ, навела красоту и надела чудо-платье. Конечно, в таком платье идти к Соне смешно, но если Игорь так хочет, я пойду. Оно такое красивое! И так сидит, и так мне идет. Я в нем похожа на кинозвезду...

— Боже, какое платье! — воскликнула Соня, когда я сняла шубу. — С ума сойти.

— Подарок Игоря. Конечно, немного смешно в такой ситуации, я понимаю...

— Ничего не смешно. Оно же не длинное, не блескучее, просто безумно красивое... Пусть в Новом году твоя жизнь будет как это платье. Плохо встречать Новый год врозь с любимым мужчиной, но раз это его подарок, значит, вы уже не врозь.

— Боже, Сонечка, какая ты умная! И я так тебя люблю!

— Между прочим, я намекнула Федьке насчет твоей секретарши, он, кажется, заинтересовался.

— Отлично, пусть одиннадцатого как бы невзначай заедет ко мне на работу...

— Хорошо, просто здорово, моя девочка.

Мы встретили Новый год как всегда — мило и уютно. Пили, ели, смотрели телевизор, ругали все каналы, где то и дело возникали одни и те же лица, словом, все как всегда... Только усевшись за стол, я вдруг отдала себе отчет, что голодна как волк, я уж и забыла, когда нормально ела.

— Ешь, красавица, в Новый год калории не действуют, научно доказанный факт, — говорил дядя Юлик, подкладывая мне на тарелку разные вкусности.

— Почему, дядя Юлик?

— Потому что я так хочу!

Мы смеялись, пили сперва шампанское, потом еще много всего, и в три часа я почувствовала, что вот-вот свалюсь.

— Я, пожалуй, пойду!

— Федяка тебя проводит.

— Да зачем, тут же рядом!

— Ты на ногах не стоишь, да и вообще, разве можно такую красавицу одну ночью пускать.

Федяка мгновенно оделся, накинул на меня шубу.

— Где твои сапоги?

— А я в туфлях пришла.

— Ненормальная, там же сыро и снег выпал...

— Ничего, ты, главное, держи меня крепче, тут же рядом.

— Не бойся, не уроню.

Во дворе было скользко, я вцепилась в Федякину руку.

— Ты мне девушку подыскала, говорят?

— Есть одна.

— Хорошая?

— Сам решишь.

— Но не сука?

— Это тоже сам решишь.

Мы вошли в мой подъезд.

— Все, спасибо, братишка, можешь идти.

— Нет уж, доставлю до квартиры.

— Ну как хочешь, только я сразу завалюсь. На кофе не рассчитывай.

— Да ты что, какой кофе? Я спать хочу, умираю.

Я первой вышла из лифта и даже вскрикнула от испуга.

На коврике у моей двери, обхватив руками колени и уронив голову на грудь, сидел какой-то мужик. Рядом стояла баночка, полная окурков. На площадке было не продохнуть.

У меня сердце билось так, что я ничего не соображала.

— Это еще что? — грозно воскликнул Федяка. — Эй, вы кто? Финик, ты его знаешь?

— Федь, иди.

— Но...

— Я с ним разберусь сама. Иди!

— Уверена?

— Да. На все сто.

— Ну как знаешь...

— Степан Петрович! — я потрясла его за плечо.

Он поднял голову, улыбнулся сонно.

— Красавица, богиня, ангел...

— Степан Петрович, вставайте и идите домой.

Он вскочил.

— Ты пришла... Ты сможешь меня простить?

— Степан Петрович, мне абсолютно не за что вас прощать. Если хотите, я дам вам ключи от квартиры Марии Ипполитовны.

— У меня есть.

— Тогда зачем вы тут устроили этот спектакль?

Он был слегка пьян и совершенно неотразим. Меня трясло.

— Впусти меня.

— Нет. Я хочу спать. Я устала и вообще...

— Финик... Ты сердишься и от этого еще красивее... Знаешь, после той встречи в Париже я окончательно спятил...

Он говорил довольно громко.

— Вы полагаете уместным этот разговор здесь и сейчас?

— Да, полагаю. А если боишься чужих ушей, впусти меня. Ты ничем не рискуешь.

У меня было ощущение, что я рискую абсолютно всем. Но я все-таки впустила его.

Он вошел. Снял с меня шубу.

— Боже, какое платье... Ты ослепительна...

— Степан Петрович, я хочу сразу расставить все точки над i.

— Вот прямо так, в прихожей? — улыбнулся он. Улыбка была смертельная... — А может, кофе?

— О господи! Хорошо, идите на кухню, я сейчас.

— Только не снимай божественное платье.

Я скрипнула зубами и принялась молоть кофе. Почему я впустила его, этого героя лужи, мужа графини? Зачем он мне? У меня есть Игорь... У Игоря не может быть детей — закралась вдруг крамольная мысль. Но я нужна Игорю, действительно нужна, а этот просто хочет со мной переспать... И я хочу... Несмотря ни на что... Но этого не будет. Мало ли чего иной раз хочется, можно и перетерпеть, не впервой...

— А можно я сам заварю кофе?

— Прошу вас. Мне не нужно.

Он возился с туркой, что-то химичил.

— У тебя есть кофейная чашка?

— О господи!

Я терпеть не могу кофейные чашки, но одна у меня все-таки есть, кто-то подарил.

— Вот. Устроит?

— Вполне. Спасибо.

Он налил кофе и уселся напротив меня. Отхлебнул глоток.

— Фаина, я... Я люблю тебя.

— Да ну?

— Я это понял еще тогда, в машине, когда ты рыдала... Но не поверил себе сначала, потом вдруг поверил безоговорочно и испугался. Я ничего не мог тебе предложить. И уехал. Думал, пройдет... Не проходило, но я приказал себе не думать... А потом Париж... И я почувствовал, что теряю тебя.

— Нельзя потерять то, чего у тебя нет.

— Ты была у меня... И есть... И я не могу тебя потерять... Знаешь, я никогда не верил во все эти разговоры... про любовь... Страсть, да... Привязанность — да. Но любовь... И вдруг настигло. Это иррационально, а я ученый, материалист... человек вполне рациональный... Это не укладывалось в моей дурацкой башке...

— Степан Петрович...

— Подожди... Я совершенно лишился покоя. Я не знаю, что делать.

— И решили обратиться ко мне за советом?

Он вдруг поднял на меня глаза, посмотрел очень пристально, медленно отпил глоток, поставил чашку, встал...

— Кажется, я слишком много говорю...

И вдруг схватил меня, поднял со стула, прижал к себе и начал целовать. Я пыталась отбиваться, но он держал меня мертвой хваткой.

— Пустите, я не хочу, я не хочу.

— Хочешь, еще как хочешь, я знаю, чувствую...

— Значит, так, — сказал он утром. — Я переведусь в Париж, в Институт Пастера, меня приглашали туда, и буду преподавать в Сорбонне, ты переедешь ко мне, я подам на развод. Это долгая история, но это же не важно, правда?

Я молчала. Я сгорала от стыда, но не только. От страсти тоже. Он был самым лучшим мужчиной в моей жизни. И у него могут быть дети. Просто у них с Эрной умер ребенок, еще не родившись, и больше она иметь детей не смогла. А он может... А ведь для женщины так важно иметь детей... Но как же Игорь? Я написала ему, что люблю, а он вернется и что? А издательство? Что я буду делать в Париже? Растить детей...

— Красавица моя, что с тобой? — прошептал он, заметив мое состояние. — Я сегодня абсолютно счастлив, а ты? У тебя совершенно несчастный вид... Тебе было плохо со мной?

— Нет... мне было хорошо, как никогда в жизни...

— И мне... Мы просто созданы друг для друга...

— А мама знает, что ты приехал?

— Нет. Зачем? — пожал он плечами. — Я приехал к тебе. Только к тебе.

Он снова стал целовать меня, и я не могла ему противиться.

— Когда ты уезжаешь?

— Завтра. У меня дела. Это у вас в России такие каникулы...

Это «у вас в России» слегка меня резануло.

— Но я приеду в начале февраля. Этот год я должен еще доработать на Сицилии, а тем временем мне подыщут квартиру в Париже... И думаю, летом мы уже сможем перебраться и заживем...

— Вкупе и влюбе...

— Что?

— Нет, это так, из редакторской практики...

— Что?

— Одна девочка-редакторша... Это еще в журнале было. Кто-то написал статью, и там было это старинное выражение «вкупе и влюбе», а она не знала и написала «в купе». Смеху было...

— А я тоже не знаю этого выражения.

— Тебе можно, ты не редактор.

— А что оно означает, собственно?

— Ну, что-то вроде «зажили вместе, бок о бок и в любви».

— Надо запомнить... Вкупе и влюбе... Мне нравится. Ты ведь говоришь по-французски?

— Говорю.

— Значит, легко приспособишься.

— А что я там буду делать?

— Любить меня.

— А если надоест?

— Что?

— Только любить тебя?

— Придумается что-то. И ребенка родим, будет чем заняться.

Вдруг зазвонил телефон. Я жутко испугалась.

— Алло!

— Фаинка!

— Да, Сонечка.

— Я тебя разбудила?

— Нет, что ты.

— Фаинка, что за мужик у тебя там вчера нарисовался?

— Да так, ерунда...

— Фаинка, не темни! Мне это не нравится! Колись!

— Да ну, не о чем говорить... — я сама слышала, до чего фальшиво звучит мой голос.

— Так, он у тебя! Ну ты даешь! С ума сошла? А Игорь?

Я молчала.

— Я тебе не позволю из-за минутной сексуальной прихоти сломать себе жизнь, а заодно и Игорю. Черт знает что! Ты дура! Набитая дура и к тому же потаскуха! В кои-то веки попался приличный мужик, но стоило ему уехать, как ты тут же спуталась черт-те с кем. У тебя совесть есть? — уже орала Соня.

— Сонечка, родная, все не так...

— А как? Как?

— Я тебе потом объясню.

— Попробуй только не объяснить! Хотя знаю, что это будет детский лепет на лужайке. Ах, он такой... Я так его хотела. Мало ли кто кого в жизни хочет... Ну все, когда этот секс-герой свалит, явишься ко мне, я тебе объясню, что почем!

И она швырнула трубку. Соня редко так на меня орала, может, раза два за всю жизнь.

— Что это было? — усмехнулся Степан.

— Тетка.

— Чего хотела? Нравственности?

— Примерно.

— А мы с тобой жутко безнравственные. Правда?

— Не знаю...

— Ты расстроилась?

— Степа, а ты знаешь, что я собиралась замуж?

— Рассобираешься.

— А знаешь, за кого?

— Понятия не имею. А должен знать?

— Да нет...

— Но ведь теперь ты собираешься за меня?

— Нет.

— Как нет?

— Так... Я не смогу жить в Париже... не смогу бросить издательство...

— Что за чепуха!

— Это не чепуха...

— Но ты же любишь меня... И я тебя... Я готов ради тебя все бросить, а ты...

— Степа, но такие вещи не решают с кондачка...

— То есть тебе нужно время на размышления? Будешь прикидывать, который жених выгоднее? — недобро прищурился он.

— Уходи!

— Что?

— Уходи.

— Прости, прости, я сам не знаю, что несу... Я без тебя не могу... Ты как заноза... И не гони меня... Я завтра уеду, а пока... Я должен быть с тобой... насытиться, впитать в себя, запомнить каждую твою черточку, каждый поворот головы... Знаешь, ты невероятно красива... Невероятно... И когда спишь... Эти ресницы в пол-лица... Эти губы... Я с ума схожу... И твой запах... голова идет кругом... Знаешь, когда в первый раз я взял тебя на руки, я почти не запомнил твоего лица... только запах... Я знаю эти духи, но на тебе они звучат совсем по-другому... Я пьянею от них... Я тогда еще слегка захмелел... И ругал себя последними словами за то, что не назначил тебе свидания... Ты пришла бы, а?

— Пришла бы... наверное... Не знаю...

— А я знаю... Я уверен... Ну, иди ко мне, я с ума схожу...

Он имел надо мной какую-то физическую власть. Стоило ему до меня дотронуться — и я была готова на все... Наваждение какое-то... Только странно, внутри ничего не болело, как в Париже. Пружина не разжалась... Или она разжалась тогда и больше уже не сжималась? А как же Игорь? Господи... Что же мне делать?

Вечером опять позвонила Соня.

— Ну что? Он ушел?

— Нет. Завтра.

— Ого!

— Соня!

— Что Соня? Это что, большая любовь?

— Я не знаю...

— Она не знает! А кто должен знать? Я? Потаскуха! Ладно, я приму меры!

— Какие?

— Увидишь!

И она в сердцах швырнула трубку.

Я испугалась, что она сейчас явится сюда, но, к счастью, я ошиблась. Я уже сама жаждала спровадить его. Он мешал мне... мешал думать. А мне было над чем подумать.

Я проснулась в половине седьмого. Побежала в душ, быстренько оделась, навела красоту и стала готовить завтрак. Вот он уедет, тогда я все решу... А пока...

Я пошла его будить и вдруг замерла. Он спал. Мне захотелось опять нырнуть в постель, к нему под бочок, у него такое красивое тренированное тело... Но ведь это пройдет... я привыкну, страсть — штука преходящая, и что останется?

— Степа, вставай! — справилась я с собой.

— А? Что? Ох, который час? Иди ко мне!

— Нет, тебе пора. Самое позднее через сорок минут надо выезжать.

— Ой, в самом деле. — Он вскочил и побежал в ванную.

Через десять минут он явился на кухню уже одетый.

— Я сам сделаю кофе, ты не умеешь.

— Ради бога!

— А ты почему не ешь? Тебе в машине плохо не станет?

— Нет.

Странно, мне даже в голову не пришло, что я могла бы не везти его в аэропорт, вызвать такси.

В лифте он обнял меня.

— Не знаю, как я проживу этот месяц...

Когда он обнимал меня, я была не в силах нормально рассуждать...

— Позволь, я сам сяду за руль. Терпеть не могу, когда ба... женщина за рулем.

— Пожалуйста, — сказала я.

Мы добрались до аэропорта по пустой праздничной Москве за сорок минут. Еще даже не началась регистрация.

— Степа, я хотела сказать...

— О, ты так серьезна, надо тебя серьезно выслушать, — улыбнулся он.

— Степа, все случилось так внезапно, с налета... Ты пока не говори ничего жене...

— То есть как?

— Степа, я не знаю... Я не готова... вот так бросить все... работу, Москву, я не смогу... так сразу...

— И что ты мне предлагаешь? Жить с оглядкой на твои размышления? Убить Эрну или не убивать, погодить?

— Но если ты считаешь, что убьешь ее, то ничего не нужно... Ни в коем случае... Я не хочу никаких жертв... Бога ради, не нужно...

— А как? Я летел к тебе, думал — прогонишь, я...

— Нет, давай подождем, подумаем, попробуем как-то...

— А чего ждать?

— Ну, я не знаю... Следующей встречи, может быть... Пожалей меня, я не могу так... Мы же совершенно друг друга не знаем, нельзя принимать такие серьезные решения после двух ночей... Пойми, нельзя...

— Ты действительно так думаешь?

— Конечно.

— Может, ты и права... Меня просто захлестнуло... Я потерял голову... А ты, видимо, ее не потеряла, вот и взываешь к разуму... Черт возьми, это неплохо, когда хоть один из двоих способен рассуждать... Я себя считал вполне рациональным типом... Ну что ж... Хорошо. Давай подождем месяц. Я напишу тебе... И ты пиши... Напиши мне мэйл, и я буду знать твой адрес. Хорошо?

— Да, Степа, я напишу...

— Только помни, я люблю тебя...

И он стал целовать меня на глазах у всего аэропорта, а я не смогла его оттолкнуть... Да и не хотела.

Наконец, он ушел. Я прислонилась к колонне. Закрыла глаза. Надо перевести дух... Вдруг кто-то дернул меня за рукав.

— Файка? Ты?

Я открыла глаза. Передо мной стояла маленькая хрупкая женщина.

— Господи, Гончарик, ты?

Это была моя одноклассница Таня Гончаренко.

— Я! Файка, а я смотрю, ты или не ты? Кто это тебя так целовал? Прямо обзавидуешься... Это вряд ли муж был, а?

— У меня нет мужа... Ой, Танечка, сколько лет, сколько зим!

Мы обнялись.

— Ты прилетела или улетаешь?

— Прилетела. И не туда зашла. Гляжу, прямо сцена из фильма, и, кажется, это Файка!

— Я на машине, я тебя отвезу, тебе куда?

— На Курский вокзал.

— А куда ты едешь?

— Домой. Я ж не в Москве живу, а в Нижнем. Прилетела вот из Испании, у подруги там гостила. Вправду довезешь до вокзала?

— Конечно! Что за вопрос.

— Здорово... А ты красивая, Файка, ужас просто.

— Ты тоже недурна, подруга!

У нее было два больших чемодана. Правда, на колесах. Мы повезли их к выходу.

— Танюш, а может, поедешь завтра, а? Завалимся ко мне, поболтаем...

— Не могу, у меня там сын. Соскучилась жутко.

— Сколько сыну?

— Двенадцать.

— А у меня нет детей.

— Что ж у тебя, такой красавицы, ни мужа, ни детей? Неужто из-за этого небритого психа?

— Нет... Так сложилось.

— А это любовь?

— Я не знаю, Тань. Я запуталась. Ладно, ерунда. Расскажи лучше о себе. Как тебя в Нижний занесло?

— Как? По любви. Втюрилась как ненормальная в мужика из Нижнего и понеслась за ним. Замуж вышла, счастлива была до небес... Он так меня любил, пылинки сдувал... Я ж после школы в МИСИ пошла, у меня отец с матерью и дед строители были. И Витя мой тоже... Только он свой бизнес затеял, не очень крупный, но свой. А мне работать не позволял, мол, женщина детей должна воспитывать... И все у нас хорошо было... мы так понимали друг дружку... А четыре года назад он вдруг... не проснулся...

— Как? — ахнула я.

— Вот так, лег спать и не проснулся... Здоровенный мужик, мастер спорта... как говорится, кровь с молоком, и вдруг... Я думала, рехнусь от горя... Но тут братец его начал на меня наезжать — продай, мол, бизнес, а предлагает гроши какие-то... А у меня, почитай, и нет почти ничего, а сына растить надо, да еще свекровь больная, горем убитая... Продам я ему бизнес, а он его на ветер пустит, мужик-то никчемный, но подлый... И все мне вкручивает: ты слабая женщина, а бизнес тяжелый, мужской, у мужа мастерская гальваническая, это и вправду неженское дело. Ну, думаю, или пан или пропал... Пошла я в мастерскую к мужикам, так мол и так говорю, или я буду у вас хозяйкой, или Васька. Нет, говорят, Татьяна, не хотим Ваську. Давай лучше ты. А я им: но тогда помогите мне разобраться во всем. А я буду ваши интересы блюсти, как свои... Трудно было — жуть, Файка. Ночей не сплю, с утра в мастерской, все своими руками пощупать надо, всюду нос свой сунуть... А мужичье там грубое... Работа тяжкая, чугунные болванки иной раз ворочать приходится... Ну не мне, конечно, но все-таки. Вот вроде хотели они меня, а как дошло до дела, начинают сверху вниз смотреть... И в прямом и в переносном смысле... А я учебниками, пособиями обложилась и через полгода лучше их всех в деле разбиралась... И знаешь, что я придумала? Я себе в кабинет, да какой там кабинет, чистая каморка, так я туда здоровую колоду приспособила. Как мужики заходят, я на нее залезу...

— Зачем? — не поняла я, донельзя увлеченная ее рассказом. Это был совершенно другой мир...

— Как зачем? Чтобы с ними ростом сравняться, чтобы они на меня сверху вниз не глядели.

— Танюха, какая ты молодчина!

— Да, я такая! Сама собой горжусь, Файка! Короче, сладила я и с мужиками и с бизнесом. Я их на социалке сломала. Плачу честно, сверхурочные там, отпуска, больничные — все как у людей, в разные страны ездила, опыту набиралась, даже расширилась, а тут, блин, кризис... Но ничего, держимся. Конечно, если б не кризис, я бы куда больше продвинулась...

— Ну а в личной жизни что?

— Да ничего пока... Подъезжают, конечно, мужики, не без этого... Но я замуж ни за что не хочу. Не встретила пока такого, чтобы с сыном моим поладил, он мальчишечка умный, талантливый, в математике сечет... Он у меня даже счетами занимается... И потом, Файка, я так своего Диму любила... Понимаешь, мне с ним никогда скучно не было... А с этими... Бывает, конечно, переспишь для здоровья с кем-то, а на утро и говорить вроде не о чем. Сделал свое дело и гуляй...

— Танька, какая ты... Никогда бы не подумала, что ты просто железная леди будешь...

— Нужда заставит, и не то еще сможешь. Я вот, Файка, путешествовать люблю. В отпуск обязательно за границу. Два раза в год, как отдай! Где только не была... Сейчас, правда, два раза не получается, кризис, мать его... Но ведь кризис вечно длиться не может, пройдет, выдюжим... И опять ездить стану...

— А сына берешь?

— Нет пока, да он и не рвется. В отпуске я личной жизнью живу... — Она подмигнула мне, — ну и собой занимаюсь, спа там, талассотерапия, ну где чего... форму держу, это даже в нашем мужицком деле важно... А ты, подружка, я гляжу, что-то грустная? По мужику этому убиваешься?

— Да нет... Запуталась я, Тань...

— Расскажи, может, легче станет...

— Да ну... неохота.

— Он женатый, что ли?

— Женатый... Знаешь, мне все что-то женатые попадаются, впрочем, бог с ними.

— Ну а работаешь-то где?

— В одном маленьком издательстве. Я там главный редактор...

— Нравится работа?

— Очень, очень нравится.

— Тогда хорошо, и киснуть нечего. Если работа душу греет, это уже большое дело... А спать есть с кем?

— Да вроде...

— И денег хватает?

— Хватает...

— Тогда все у тебя чудесно, Файка! Просто мечта! Плохо, конечно, что детей нет...

— А вот и Курский, — сказала я. — Когда у тебя поезд?

— В пять.

— Билет есть?

— Нет, сейчас куплю.

— Ну вот что! Пойдем вместе, купишь билет, сдадим твои чемоданы в камеру хранения и подадимся в какой-нибудь ресторан... Или ко мне... Что ж тебе до пяти слоняться, сейчас только двенадцать.

— Супер! Тогда, если можно, лучше к тебе, я с дороги душ приму.

— Здорово! — обрадовалась я. Мне страшновато было одной заходить в квартиру. Выйдя из лифта, я заметила возле своей двери баночку с окурками. Так она и простояла тут больше суток. Я тут же отнесла ее в мусоропровод.

— Это что? — спросила Таня. — Псих накурил?

— Почему псих? — засмеялась я.

— Разве нормальный будет так в аэропорту целоваться? Разве что в двадцать лет, когда мозги в другом месте помещаются. А тут уж думать надо...

— О чем, Таня?

— Ну мало ли кто увидит... Жене доложат или же мужу... мало ли... Ты не обижайся, Файка, я, может, от зависти... Меня-то после Димки никто так не любил... Ладно, я в душ, можно?

Я дала ей халат, тапки, шампунь, полотенца, а сама пошла на кухню приготовить что-то поесть.

Вскоре Таня явилась на кухню.

— Как у тебя красиво... Книг сколько... Много читаешь?

— А как иначе? Я без книг не могу, да и по работе читать много приходится...

— А я только в отпуске... Устаю так, что еле домой доползаю, не до книг... Фай, а ты вроде была замужем?

— Даже два раза, но это чепуха... Тань, тебе кофе или чай? А то у меня нормального обеда нет, так, закуски всякие от Нового года остались.

— Сама готовила?

— Нет, тетка...

— Это которая в соседнем подъезде живет?

— Она.

— Фай, а с матерью-то видишься?

— Нет. Надо же, ты все помнишь...

— Память хорошая... Ой, Файка, а ты была в Нижнем?

— Нет.

— Приезжай! Знаешь, какой у нас город красивый! Летом приезжай, у свекрови домик есть за городом, на берегу... Можно рыбу ловить, купаться... Здорово там... Да ты вообще-то Волгу видела?

— Нет, не видела.

— Ну вот... — огорчилась Таня.

— Тань, а знаешь что? Я предложу одному журналу сделать материал о тебе. Интервью, фотографии...

— Какой журнал? — захохотала Таня. — Кому я там интересна? Кто я, звезда экрана? Или бизнеса?

— Ты не права, можно сделать классный репортаж... Я даже знаю, к кому обратиться... Это новый журнал «Всегда женщина». Там сделают все по высшему классу. Не переврут твои слова, фотографии суперские сделают. Думаю, ты для них находка. Красивая, хрупкая женщина, занимается чугунными болванками...

— Фай, мы не только чугунными болванками занимаемся.

— Неважно, все равно, чисто мужская работа... Сыграют на контрасте. Ты им главное про колоду свою расскажи, как ты на нее залезаешь... Супер! Ну как, хочешь?

Она задумалась.

— Нет, Файка, не хочу!

— Почему? — поразилась я.

— Лишнее это. Не надо внимание к себе привлекать. В провинции это невесть к чему привести может... да и бизнес у меня не для дамских журналов. Не стоит.

— Уверена?

— На все сто.

— Жаль...

— Файка, а ты с кем-нибудь из наших встречаешься?

— Да нет...

— А я один раз в Тунисе Верку Судареву встретила. Такая толстушка стала, не узнать... У нее теперь свой магазинчик обоев... Странно, да?

— А ты на «Одноклассников» заглядываешь?

— Не-а, некогда мне. А ты?

— И я нет.

Мы предались воспоминаниям школьных лет, вспоминали учителей, школьные проказы, короче говоря, время пролетело незаметно. Потом я отвезла Таню на Курский вокзал.

— Спасибо тебе, Файка. Я так отдохнула... У тебя уютно... И вообще... Вот помяни мое слово, ты скоро замуж выйдешь, я точно знаю.

— Спасибо, конечно, но...

— Ничего не но! Я в таких вещах не ошибаюсь. У меня бухгалтерша была, все страдала, что мужа нет. А один раз приходит, она ко мне только раз в неделю ходила, я глянула и говорю: «Маш, ты скоро замуж выйдешь!» — она только рукой махнула. И в тот же день под машину попала.

— Ничего себе!

— Отделалась царапинами. Но в больнице полежала. Так тот мужик, что ее сбил, он на ней и женился.

— А я тоже должна под машину попасть?

— Откуда мне знать? Может, он у тебя уже есть, жених, только ты еще не поняла...

А ведь я ей ничего не рассказывала...

— Только на свадьбу пригласи, ладно?

— Девочки, вы едете? — спросила проводница. — Скоро отправляемся.

— Ой, Файка, до свидания!

— Погоди, я тебе помогу чемоданы затащить.

— Ну нет, на это мужчины есть! — сказал какой-то военный и подхватил чемоданы. При этом с большим интересом взглянул на Таню.

— Ой, боюсь, что твоя свадьба скорее будет, — шепнула я ей.

Она слегка зарделась. Видно, этот военный ей тоже глянулся. А когда я подошла к окну, выяснилось, что они едут в одном купе. Я подмигнула ей. Давай мол, не теряйся!

Когда поезд отошел, я вдруг ощутила такую усталость, что едва доплелась до машины. Я закрыла глаза. Как муторно начался новый год... Я не ощущала ничего, кроме усталости и тяжкого груза, навалившегося на сердце. Вот прижаться бы сейчас к Игорю, и ничего даже говорить не надо. Он без слов все поймет... Что поймет? — испугалась я. Поймет, что я ему изменила? Да еще с его другом детства? А зачем, зачем я это сделала? Дура, я же его люблю... Я люблю Игоря! Именно Игоря, а вовсе не Степана... Игорь родной, близкий, а этот чужой, как был чужим, так и остался... Да, страсть... Но ведь это не главное... Это... мимолетность... Я вдруг открыла глаза и засмеялась... Спасительное словечко — мимолетность! И поехала домой.

Подойдя к дверям, я услышала в квартире голоса. Неужто Соня меня подкарауливает? Я повернула ключ, открыла дверь и тут же услышала голос отца:

— А вот и бамбина! Бамбина, где ты шляешься?

В прихожую вышел папа, за ним Соня.

— Вот, Виталик, посмотри...

— Папочка! — безмерно обрадовалась я и повисла у него на шее.

— Бамбина, у тебя измученный вид... Ты что-нибудь ела?

— Ела, ела.

— Ладно, вы встретились, слава богу, я пойду. Виталик, через час я жду вас обоих к ужину.

— Бамбина, что тут у тебя творится? Соня срочно вытребовала меня... Говорит, ты вот-вот загубишь свою жизнь. В чем дело, расскажи отцу...

— А я думала, ты на меня сердишься... — сказала я, прижимаясь к нему. — Папочка, как я рада, что ты приехал...

— С чего ты взяла, что я сержусь?

— Ты так редко звонил, и голос у тебя был какой-то...

— Бамбина, что за глупости! Фу, стыдно так думать об отце. Дело в том, что... мне немножко не до того было... видишь ли, у меня закрутился небольшой романчик... Я здорово увлекся, а Карлотта что-то заподозрила... Ну, сама понимаешь...

— Папочка, какой ты молодец! — восхитилась я.

— А ты думала, твой папа совсем старый старик?

— Ничего я не думала... Ну и как теперь?

— Как обычно... Я вернулся к Карлотте, я люблю ее по-прежнему, а романчик... это так...

— Мимолетность?

— Как ты сказала? Мимолетность? Отлично! Именно мимолетность. Но сейчас дело не во мне. Что у тебя-то?

— У меня? У меня сложно... Я думала... Понимаешь, когда я была в Париже, я вдруг ощутила, что во мне столько любви... И пружина разжалась, как один раз уже было... И тут вошел Степан... Я не ожидала его увидеть... Я думала, что это его я полюбила... И в тот же вечер у меня началось с Игорем, но я считала, что не люблю его...

— Бамбина, я что-то ничего не понимаю... Что еще за пружина?

— Потом поймешь, дай мне сказать... Я думала, что люблю Степана, а любила Игоря... Степан был далеко, он был недоступен... И вдруг он приехал...

— А Игорь, как я понял, наоборот, уехал?

— Да... Ну и...

— Понятно. И что будешь делать теперь?

— Ничего, ждать Игоря. Я поняла, что Степан — это мимолетность... Просто я, дура, сразу не разобралась... Чуть не наломала дров, а все так просто... Подумаешь, бином Ньютона!

— Довольно путаная речь, но я, кажется, понял... Выходит, Соня зря меня вызвала?

— Не зря. Я так рада тебя видеть! А как поживает Цицерон?

— По-прежнему.

— Да, пап, ты знаешь, у Игоря был кот Цицерон...

— Кажется, ты его и вправду любишь. Я жажду с ним познакомиться. Но все-таки согласись — мимолетности очень скрашивают жизнь!.. Ну чего ты, дуреха, ревешь?

— Папочка, я... я такая дура...

— Не спорю. Но все поправимо, насколько я понимаю?

— Не знаю... Я не люблю врать... Но я не могу признаться Игорю...

— Даже и не думай! Забудь. Мужчинам такие признания ни к чему. Поверь старому греховоднику. И потом это не вранье, а умолчание. Только вот один совет.

— Да, папочка?

— Ты порвала с этим «героем лужи»?

— Нет еще...

— Порви. Немедленно. И решительно, разумеется, если ты к этому готова.

Он смотрел на меня с такой нежностью...

— Папочка, мне так тебя не хватало... — И я еще пуще разревелась. — Папа, у Игоря не может быть детей...

— Бамбина, это преодолимо. Сейчас столько сирот... Да и другие возможности есть, медицинские, было бы желание...

Выплакавшись, я почувствовала неимоверное облегчение. Открыла компьютер, достала визитку Степана и отправила ему письмо: «Степан, прости меня, но у нас ничего не выйдет. Я выхожу замуж за Игоря Шувалова, мы любим друг друга, по-настоящему. Пойми и прости».

Ответ пришел почти мгновенно. Он гласил: «Желаю счастья! А впрочем, идите вы оба на...»

Я закрыла компьютер. Мне было легко и хорошо. Я прожила эту любовь. Она оказалась мнимой.

— Что, бамбина? Сделала выбор? Нелегко было?

— Да нет, совсем легко. Подумаешь, бином Ньютона!

Содержание

Литературно-художественное издание

Екатерина Николаевна Вильмонт

**МИМОЛЕТНОСТИ,
ИЛИ ПОДУМАЕШЬ, БИНОМ НЬЮТОНА!**

Ответственный редактор *И.Н. Архарова*
Технический редактор *Т.П. Тимошина*
Корректор *И.Н. Мокина*
Компьютерная верстка *Ю.Б. Анищенко*

ООО «Издательство АСТ»
141100, РФ, Московская обл., г. Щелково, ул. Заречная, д. 96

ООО «Издательство Астрель»
129085, г. Москва, пр-д Ольминского, д.3а

Вся информация о книгах и авторах
Идательской группы «АСТ» на сайте: www.ast.ru

По вопросам оптовой покупки книг Издательской группы «АСТ»
обращаться по адресу: г. Москва, Звездный бульвар, 21 (7 этаж)
Тел.: 615-01-01, 232-17-16

Заказ по почте:
123022, Москва, а/я 71, «Книга — почтой»,
или на сайте shop.avanta.ru

ОАО «Владимирская книжная типография»
600000, г. Владимир, Октябрьский проспект, д. 7.
Качество печати соответствует качеству предоставленных диапозитивов